Mulheres em Apuros

Soluções bíblicas para os problemas que as mulheres enfrentam

MARTHA PEACE

MULHERES EM APUROS

Soluções bíblicas para os problemas que as mulheres enfrentam

FIEL
Editora

P355m Peace, Martha
　　　　Mulheres em apuros : soluções bíblicas para os problemas que as mulheres enfrentam / Martha Peace ; [traduzido por Ana Paula Eusébio Pereira]. – São José dos Campos, SP : Fiel, 2010.

　　　　192 p. ; 21 cm.
　　　　Tradução de: Damsels in distress.
　　　　Inclui referências bibliográficas e índice.
　　　　ISBN 9788599145807

　　　　1. Mulheres cristãs – Vida religiosa. 2. Vida cristã – Ensino bíblico. I. Título.

　　　　　　　　　　　　　　　　　　　　　　CDD: 248.8/43

Catalogação na publicação: Mariana C. de Melo – CRB07/6477

MULHERES EM APUROS
Soluções Bíblicas para os Problemas que as Mulheres Enfrentam

Traduzido do original em inglês Damsels in Distress – Biblical Solutions for Problems Women Face por Martha Peace
Copyright © 2006 by Martha Peace

Publicado por P&R Publishing Company, P.O. Box 817, Phillipsburg, New Jersey 08865-0817

∎

Todos os direitos em língua portuguesa reservados por Editora Fiel da Missão Evangélica Literária

Proibida a reprodução deste livro por quaisquer meios, sem a permissão escrita dos editores, salvo em breves citações, com indicação da fonte.

© Editora FIEL 2010
1ª Edição em Português: 2010

∎

Diretor: Tiago J. Santos Filho
Editor: Tiago J. Santos Filho
Tradução: Ana Paula Eusébio Pereira
Revisão: Gwen Kirk e Marilene Paschoal
Diagramação: Spress
Capa: Edvânio Silva
ISBN impresso: 978-85-99145-80-7
ISBN e-book: 978-85-8132-331-2

FIEL
Editora

Caixa Postal 1601
CEP: 12230-971
São José dos Campos, SP
PABX: (12) 3919-9999
www.editorafiel.com.br

Para
Patty Thorn
*Porque ela mostra seu amor pelo Senhor
mediante seu coração de serva.*

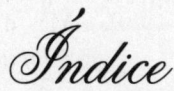

Lista de Ilustrações 9
Agradecimentos 11
Introdução 13

1. Lançando todas as minhas preocupações em quem? 15

PARTE UM: SOLUÇÕES BÍBLICAS PARA PROBLEMAS COM OUTRAS PESSOAS

2. Bem, tem problema se foi a minha mãe que me disse? 27
   Fofoca e difamação

3. O que você quer dizer com "Eu posso viver sem ele"? 43
   Ligações emocionais idólatras

4. Devo responder *como*? 55
   Manipulação

5. Que diferença faz a intenção dele? 73
   Sentimentos feridos

PARTE DOIS: SOLUÇÕES BÍBLICAS PARA PROBLEMAS COM VOCÊ MESMA

6. Há no mundo alguém mais bela do que eu? 89
   Vaidade

7. Você tem certeza que a TPM é real? 103
   TPM

8. Eu simplesmente amo regras, você não? 115
   Legalismo

PARTE TRÊS: SOLUÇÕES BÍBLICAS PARA PROBLEMAS COM O MUNDO

9. Mas, e se eu *gostar* que alegrem meus ouvidos? 133
   A influência feminista

10. Você quer que eu faça o *quê?* 145
    O papel das mulheres na igreja

11. Ser grata? Você não pode estar falando sério! 159
    Provações

Conclusão 169
Apêndice – Exercícios sobre a salvação 171
Notas 181
Esboço Biográfico 183

Lista de Ilustrações

2.1 Despojando e revestindo 39
4.1 Táticas de manipulação 57
4.2 Respondendo ao insensato como merece a sua estultícia 63
5.1 Glorificando a Deus e mostrando amor 82
6.1 Discernindo a vaidade propriamente dita 91
7.1 Diário para análise de si própria 106
7.2 Planejamento de prestação de contas 109
9.1 Como o feminismo tem nos influenciado 138
10.1 Maneiras específicas de servirmos ao Senhor 147
10.2 A estrutura da autoridade em 1 Coríntios 11 153
10.3 O que Deus ordena 156

Agradecimentos

ESCREVER OS AGRADECIMENTOS é a parte mais divertida ao redigir um livro. É uma alegria lembrar de toda ajuda que o Senhor me deu através de várias pessoas. Antes de tudo, minha filha, Anna Maupin, editou cada um dos capítulos à medida em que foram escritos. Houve momentos em que fui a sua casa, lavei roupas e troquei fraldas para que ela pudesse ler. Anna tem um dom de Deus para fazer edição e, sendo assim não muda o estilo ou a teologia do autor. Ela não só edita os capítulos, mas também consegue dar "esperança" ao autor mesmo nos parágrafos mais confusos. (Às vezes eu nem sabia o que estava tentando dizer!)

Meu pastor, John Crotts, ajudou em cada livro que escrevi. Ele veio para nossa igreja no final do projeto *A Esposa Excelente*, e foi uma grande bênção. Agora temos um sistema: escrevo um capítulo e o entrego a Anna. Ela o torna legível e, depois, eu o corrijo. Em seguida, John faz a leitura do mesmo, verificando a exatidão teológica e bíblica. A propósito, nem começo a escrever um capítulo até que John e eu tenhamos revisado o esboço do capítulo. Aprendemos "pela dor" (como minha avó costumava dizer) que isso evita a necessidade de, mais tarde, reescrever várias vezes.

Um dos meus outros pastores leu e fez comentários muito úteis. Kent Keller foi especialmente útil ao me desafiar a esclarecer o que eu estava tentando dizer. Um outro pastor também me ajudou muito. Seu nome é Howard Dial, e é meu antigo pastor da Berachah Bible Church, em Fayetteville, Georgia.

Howard é um professor e um estudante da Palavra imensamente talentoso. Ele me permitiu adaptar alguns de seus sermões a capítulos sobre vaidade e legalismo. O material dele acerca desses tópicos teve tal impacto sobre mim que, anos depois, quando eu estava desenvolvendo o meu material, lembrei de seus sermões. Howard me deu uma cópia de seus sermões e ficou contente por eu utilizá-los.

Lou Priolo é um conselheiro bíblico em Montgomery, Alabama, onde ele serve na Eastwood Presbyterian Church, e é o diretor dos Eastwood Counseling Ministries. Lou, junto com Howard Eyrich, me treinaram em aconselhamento bíblico no Atlanta Biblical Counseling Center. Foi lá que Lou ensinou-me a aconselhar alguém que estivesse sendo manipulado ou manipulador. Sou grata por Lou me permitir adaptar parte de seu material para este livro.

Duas amigas minhas, da Califórnia, Dra. Laura Hendrickson e Mary Sommerville, leram o manuscrito e deram sugestões cuidadosas e criteriosas. Obrigada, Laura e Mary!

Também quero agradecer a meus amigos da igreja, Brooke e Bill May, por revisar o manuscrito. Quando coloquei a correção deles, ri de uma frase em particular. Era um período composto e eu usara a palavra *então* cinco vezes! Bill é um bombeiro da cidade de Atlanta, paramédico e autor em desenvolvimento (aguardem o seu livro, em breve).

Como sempre, meu esposo, Sanford tem sido muito encorajador e prestativo durante todo o processo. Ele é meu computador, eu penso, um gênio. Nosso filho, David Peace, ligou enquanto eu escrevia isto e perguntou o que eu estava fazendo. Então, disse-lhe que estava escrevendo os agradecimentos e ele respondeu: "A senhora sabe como se escreve meu nome, não é?" Sim, de fato, eu sei! Mas a verdade é que ele nada fez para ajudar-me com este livro.

Por último, quero agradecer a Barbara Lerch, Tara Davis, e Marvin Padgett, da P&R Publishing pela sua ajuda e entusiasmo quanto a este projeto.

Introdução

É UM DIA ENSOLARADO e quente na cidade de Peachtree, Georgia, e levantei-me cedo a fim de me preparar para receber as senhoras que estarão em minha casa hoje, em busca de aconselhamento. Percorro todos os cômodos da casa, certificando-me de que tudo está razoavelmente arrumado e de que há papel higiênico no banheiro. O café especial com creme de avelã, que eu amo, está quente na cafeteira. Meu lugar favorito para aconselhar é sentada à mesa da cozinha, com minha Bíblia, tendo diante de mim anotações sobre aconselhamento e o café. Antes de qualquer pessoa chegar, tenho de retirar o gigante galo de cerâmica que fica no meio da mesa, a fim de que as senhoras possam ver umas as outras. Uma das mulheres que virá hoje é nova para mim, então não sei qual é o problema dela – mas o Senhor sabe, e já lhe pedi sabedoria para ajudá-la.

No começo, vir a mim em busca de aconselhamento quase sempre é difícil para a pessoa (procurar alguém desconhecida). É difícil começar a contar detalhes pessoais de sua vida e seus problemas. Se para ela o problema não fosse aflitivo, ela nem viria. Então, tento tornar o encontro o mais fácil quanto possível, oferecendo-lhe café e tentando deixá-la confortável à mesa. Após um bate-papo comum, geralmente começo a sessão de aconselhamento usando uma pergunta como: "Como posso ajudar você?" Conforme ela fala comigo e faço mais perguntas, geralmente sei, ao final da primeira sessão, qual é o problema dela, o que ela já fez sobre o mesmo e o que ela gostaria que eu fizesse sobre ele.

Mulheres em Apuros trata de alguns desses problemas. Ainda que aquela pessoa que recebe aconselhamento tenha a sensação de estar esmagada sob a enormidade de seu problema, sempre há uma solução bíblica. Então, quanto aos problemas tratados neste livro, minha oração pelas mulheres que sentam à minha mesa buscando conselhos bíblicos, e pelas leitoras deste material, é para que Deus use estes princípios bíblicos e estas aplicações práticas para abençoá-las grandemente e glorificar a Si mesmo.

1 Lançando todas as minhas preocupações em quem?

POUCO ANTES DE ME TORNAR CRISTÃ, tive tantos problemas que seria difícil citar todos eles. Posteriormente, percebi que meu maior problema fora resolvido porque Deus havia me purificado do meu pecado e perdoado. Seria maravilhoso relatar que daí em diante não tive mais problemas. Contudo, isso não é verdade. Felizmente para mim, Deus providenciou maneiras de me ajudar a resolver ou a enfrentar aqueles problemas. As maneiras eram ser cristã, as Escrituras, o aprendizado sobre o caráter de Deus e minha amiga Katrina Barnes.

SER CRISTÃ

No momento em que me tornei cristã, Deus, sobrenaturalmente, realizou várias coisas de uma vez. Uma realização foi que Ele purificou-me dos meus pecados passados, presentes e futuros. Os teólogos chamam isso de obra expiatória substitutiva na cruz. Em outras palavras, o Senhor Jesus Cristo tomou aquela punição pelo pecado que eu merecia e *me* concedeu crédito por *sua* justiça.

> Todos nós andávamos desgarrados como ovelhas; cada um se desviava pelo caminho, mas o SENHOR fez cair sobre ele a iniquidade de nós todos (Isaías 53.6).

> Aquele que não conheceu pecado [Jesus Cristo], ele [Deus] o fez pecado por nós; para que, nele, fôssemos feitos justiça de Deus (2 Coríntios 5.21).

Eu sabia que não merecia minha salvação, mas que Deus, em sua misericórdia, havia me justificado "gratuitamente, por sua graça, mediante a redenção que há em Cristo Jesus" (Romanos 3.24). (Para um estudo bíblico mais aprofundado a respeito de como tornar-se cristão, veja o anexo: Exercícios sobre a salvação.)

Deus também me deu um novo coração, de forma que eu não só acreditaria no evangelho, mas também me conscientizaria do meu pecado, seria motivada a glorificar a Deus e a desejar obedecer-Lhe. O novo coração é dado pela obra regeneradora do Espírito Santo.

> Não por obras de justiça praticadas por nós, mas segundo sua misericórdia, ele nos salvou mediante o *lavar regenerador e renovador do Espírito Santo*, que ele derramou sobre nós ricamente, por meio de Jesus Cristo, nosso Salvador, a fim de que, justificados por graça, nos tornemos seus herdeiros, segundo a esperança da vida eterna (Tito 3.5-7).

Deus habita literalmente em cada crente, a fim de salvá-los, ajudá-los e mantê-los sob seu cuidado. Aqueles que são cristãos não só tiveram seus pecados completamente perdoados, mas também quebrado o poder que o pecado tinha sobre eles antes da salvação. Agora, eles não precisam pecar porque Deus os ajudará sobrenaturalmente. A Bíblia diz que *não somos mais escravos do pecado* (veja Romanos 6.6). A motivação dos cristãos de resolver problemas biblicamente parte de uma *gratidão* ao Senhor pelo que Ele fez na cruz. A vida deles e, consequentemente, a abordagem dos problemas acontecem para a glória de Deus.

> E, assim, se alguém está em Cristo, é nova criatura; as coisas antigas já passaram; eis que se fizeram novas (2 Coríntios 5.17).

Depois de ser cristã, a maneira mais preciosa concedida por Deus para ajudar-me foi as Escrituras.

As Escrituras

As Escrituras são a Palavra de Deus, literalmente inspiradas por Ele e úteis para nos ensinar, corrigir e educar (veja 2 Timóteo 3.16-17). Elas são a revelação que Deus faz de Si mesmo para nós. Elas contêm os mandamentos de Deus e seu encorajamento. Elas nos dizem como Ele é.

Ler a Bíblia era surpreendente em minha época de recém-convertida. As histórias bíblicas que eu escutara, quando criança, assumiram um novo significado. Com os problemas aconteceu o mesmo. Descobri que a Bíblia nos dá instruções muito práticas sobre o que fazer acerca de vários problemas. Pela primeira vez percebi que eu tinha ajuda e esperança verdadeiras. Como uma recém-convertida, preocupava-me com a possibilidade de cair em meus antigos pecados. Que tremendo alívio senti quando alguém chamou atenção para a seguinte promessa:

> Não vos sobreveio tentação que não fosse humana; mas Deus é fiel e não permitirá que sejais tentados além das vossas forças; pelo contrário, juntamente com a tentação, vos proverá livramento, de sorte que a possais suportar (1 Coríntios 10.13).

No grego, a palavra para *tentação* também pode ser traduzida como *opressão* ou *provação*. Em outras palavras, não tomou conta de nós nenhuma *opressão* ou *provação*, exceto aquelas comuns a outros, e Deus é fiel para não permitir que sejamos *oprimidas* ou *provadas* além do que somos capazes de suportar. Em tempo oportuno, Ele proporciona o livramento e, até que este aconteça, nos dá graça para suportar a tentação. Que promessa preciosa! Ela foi escrita especificamente para cristãos, para nos dar esperanças independentemente das circunstâncias!

Outra promessa especial para cristãos é encontrada em Romanos 8.28-30:

> Sabemos que todas as coisas cooperam para o bem daqueles que amam a Deus, daqueles que são chamados segundo o seu pro-

pósito. Porquanto aos que de antemão conheceu, também os predestinou para serem conformes à imagem de seu Filho, a fim de que ele seja o primogênito entre muitos irmãos. E aos que predestinou, a esses também chamou; e aos que chamou, a esses também justificou; e aos que justificou, a esses também glorificou.

A maioria de nós provavelmente está familiarizada com a promessa de que Deus faz *todas as coisas cooperarem para o bem*. Podemos não estar familiarizadas é com a parte seguinte dessa frase: *daqueles que amam a Deus*. Aqueles *que amam a Deus* são cristãos que obedecem a sua palavra. Como resultado, Deus, de alguma maneira, usa sobrenaturalmente tanto as circunstâncias boas quanto as más para moldar em nós o caráter cristão. Não há coisa alguma, ainda que dolorosa, pela qual passemos em vão. Deus não só nos ajudará, mas também usará todas as coisas para o nosso bem e para sua glória. Que pensamento consolador quando estamos passando por uma provação ou por uma terrível opressão ou tentação!

APRENDIZADO SOBRE O CARÁTER DE DEUS

Pouco tempo após minha conversão, meu pastor encorajou-me a ler o livro *Os Atributos de Deus*, de A. W. Pink. Esse livro foi uma grande bênção para mim porque não apenas ensinou-me acerca do caráter de Deus, mas também ajudou-me a começar a pensar a partir da perspectiva do caráter de Deus. Em vez de enxergar as circunstâncias da minha vida isoladamente, eu lembrava, junto com muitos de seus outros atributos, que Deus me amava, que era compassivo e fiel para manter suas promessas. Isso sempre me deu esperança ainda quando meu problema não era resolvido imediatamente.

Deus nos ama.

> Mas Deus prova o seu próprio amor para conosco pelo fato de ter Cristo morrido por nós, sendo nós ainda pecadores (Romanos 5.8).

Porque eu estou bem certo de que nem a morte, nem a vida, nem os anjos, nem os principados, nem as coisas do presente, nem do porvir, nem os poderes, nem a altura, nem a profundidade, nem qualquer outra criatura poderá separar-nos do amor de Deus, que está em Cristo Jesus, nosso Senhor (Romanos 8.38-39).

Vede que grande amor nos tem concedido o Pai, a ponto de sermos chamados filhos de Deus; e, de fato, somos filhos de Deus. Por essa razão, o mundo não nos conhece, porquanto não o conheceu a ele mesmo (1 João 3.1).

Nós amamos porque ele nos amou primeiro (1 João 4.19).

Deus é compassivo.

Por isso, o SENHOR espera, para ter misericórdia de vós, e se detém, para se compadecer de vós, porque o SENHOR é Deus de justiça; bem-aventurados todos os que nele esperam (Isaías 30.18).

Vendo ele [o Senhor Jesus] as multidões, compadeceu-se delas, porque estavam aflitas e exaustas como ovelhas que não têm pastor (Mateus 9.36).

O SENHOR é misericordioso e compassivo; longânimo e assaz benigno (Salmos 103.8).
Assim, pois, não depende de quem quer ou de quem corre, mas de usar Deus a sua misericórdia (Romanos 9.16).

Mas Deus, sendo rico em misericórdia, por causa do grande amor com que nos amou, e estando nós mortos em nossos delitos, nos deu vida juntamente com Cristo... (Efésios 2.4-5).

Deus é fiel.

Fiel é Deus, pelo qual fostes chamados à comunhão de seu Filho Jesus Cristo, nosso Senhor (1 Coríntios 1.9).

Fiel é o que vos chama, o qual também o fará (1 Tessalonicenses 5.24).

Se somos infiéis, ele permanece fiel, pois de maneira nenhuma pode negar-se a si mesmo (2 Timóteo 2.13).

Guardemos firme a confissão da esperança, sem vacilar, pois quem fez a promessa é fiel (Hebreus 10.23).

Por isso, também os que sofrem segundo a vontade de Deus encomendem a sua alma ao fiel Criador, na prática do bem (1 Pedro 4.19).

Aprender sobre Deus e sobre como Ele é deu-me mais estabilidade e esperança em minha caminhada com o Senhor. Esse aprendizado deu-me uma bússola para guiar-me enquanto meditava sobre os problemas. E, depois, Deus me deu outro recurso para enfrentar as dificuldades: minha amiga Katrina.

As feridas feitas pelo que ama

Katrina era minha colega de trabalho quando ela e eu ensinávamos no curso de enfermagem de uma faculdade em nossa região. Ela e sua família cristã oraram pela minha salvação durante todo o primeiro ano em que trabalhamos juntas. Além disso, Katrina testemunhava para mim com regularidade. Em vez de ouvi-la educadamente, eu pensava que ela era louca, e deixava bem clara a minha crença. Frequentemente, ela ia para casa chorando, se fortalecia em oração e voltava no dia seguinte falando novamente sobre o Senhor. Trabalhar ali, com ela, era como estar acorrentada ao apóstolo Paulo.

Depois que o Senhor me salvou (Katrina disse que aquele foi o dia mais feliz da vida dela!), quis ouvir o que ela sabia sobre o Senhor. Ela começou a ensinar-me muitas verdades maravilhosas e preciosas das Escrituras – e, então, um dia, algo incomum aconteceu. Nós havíamos encerrado um dia no hospital com os alunos do curso de enfermagem, e ela veio em minha direção, no estacionamento do hospital, com sua Bíblia na mão. Ela disse: "Preciso dizer-lhe uma coisa". Então, entramos no carro e ela leu para mim o seguinte verso:

> Leais são as feridas feitas pelo que ama, porém os beijos de quem odeia são enganosos (Provérbios 27.6).

Eu nunca havia escutado este versículo antes, e perguntei: "O que isso significa?" Ela explicou que um amigo sincero diz a verdade, mesmo que ela *fira* ou machuque você, mas um inimigo diz apenas o que você deseja ouvir. Ela disse: "Preciso dizer-lhe uma coisa".

Percebendo que não seriam notícias boas, e provavelmente deixando transparecer impaciência, falei: "O que foi...?" Então, ela me disse que agora, como cristã, eu tinha de parar de fazer ou dizer coisas semelhantes a algumas que eu havia feito ou dito naquele dia em particular. Sem querer acreditar nela, falei: "Mostre-me na Bíblia". Bem, Katrina estava armada e pronta. Ela mostrou-me versos e, gentilmente, ensinou-me não só naquele dia, mas também em muitos outros dias as verdades bíblicas básicas que eu precisava saber. Ela era, e ainda é, para mim, uma amiga notavelmente fiel.

As *feridas* de Katrina envergonharam-me temporariamente, mas eu sabia que ela estava certa, e eu desejava tanto honrar o Senhor que vi essas feridas como boas para mim, e percebi que ela me amava mesmo. Era humilhante, mas Deus derramou sua graça em mim e ajudou-me a aprender e crescer em sua graça. Desde então, Deus tem dado a mim um desejo de ser esse tipo de amiga verdadeira para outras mulheres e lhes ensinar o que Ele tem me ensinado. É por isso que escrevi este livro.

Pode haver momentos, durante a leitura de certas partes deste livro, em que você se sentirá desconfortável ou até constrangida ao ver como Deus quer que você responda de uma maneira diferente a um problema específico. Se isso acontecer, ore e busque refúgio no Senhor e Ele concederá ajuda e graça para você mudar seus pensamentos ou ações de forma que possa glorificá-Lo melhor.

Se você ficar desencorajada, volte a esta página para lembrar que os seguintes versos podem ajudar:

Vinde a mim [ao Senhor Jesus Cristo], todos os que estais cansados e sobrecarregados, e eu vos aliviarei. Tomai sobre vós o meu jugo e aprendei de mim, porque sou manso e humilde de coração; e ACHAREIS DESCANSO PARA A VOSSA ALMA. Porque o meu jugo é suave, e o meu fardo é leve (Mateus 11.28-30).

Se, porém, algum de vós necessita de sabedoria, peça-a a Deus, que a todos dá liberalmente e nada lhes impropera; e ser-lhe-á concedida (Tiago 1.5).

Deixo-vos [disse o Senhor Jesus Cristo] a paz, a minha paz vos dou; não vo-la dou como a dá o mundo. Não se turbe o vosso coração, nem se atemorize (João 14.27).

Não temas, porque eu sou contigo; não te assombres, porque eu sou o teu Deus; eu te fortaleço, e te ajudo, e te sustento com a minha destra fiel (Isaías 41.10).

Quanto a mim, bom é estar junto a Deus... para proclamar todos os seus feitos (Salmos 73.28).

Deus é o nosso refúgio e fortaleza, socorro bem presente nas tribulações (Salmos 46.1).

Quero trazer à memória o que me pode dar esperança. As misericórdias do SENHOR são a causa de não sermos consumidos, porque as suas misericórdias não têm fim; renovam-se cada manhã. Grande é a tua fidelidade. A minha porção é o SENHOR, diz a minha alma; portanto, esperarei nele (Lamentações 3.21-24).

Confia no SENHOR de todo o teu coração e não te estribes no teu próprio entendimento. Reconhece-o em todos os teus caminhos, e ele endireitará as tuas veredas (Provérbios 3.5-6).

O SENHOR é o meu pastor; nada me faltará. Ele me faz repousar em pastos verdejantes. Leva-me para junto das águas de descanso; refrigera-me a alma. Guia-me pelas veredas da justiça por amor do seu nome (Salmos 23.1-3).

Tendo, pois, a Jesus, o Filho de Deus, como grande sumo sacerdote que penetrou os céus, conservemos firmes a nossa confissão. Porque não temos sumo sacerdote que não possa compadecer-se das nossas fraquezas; antes, foi ele tentado em todas as coisas, à nossa semelhança, mas sem pecado. Acheguemo-nos, portanto, confiadamente, junto ao trono da graça, a fim de recebermos misericórdia e acharmos graça para socorro em ocasião oportuna (Hebreus 4.14-16).

Conclusão

O fato de tornar-me cristã não significa que não tive mais problemas. De fato, ainda os tenho! Contudo, foi um alívio incrível e uma alegria descobrir que Deus havia providenciado maneiras de me ajudar. Ser cristã deu-me uma perspectiva inteiramente nova a respeito da vida. As Escrituras tornaram-se uma luz para guiar-me enquanto as examinava em busca de respostas. Pensar sobre o caráter de Deus confortou-me e deu-me grande esperança. E, por último, mas não menos importante, Deus providenciou minha amiga Katrina para me ensinar e discipular. Ela é minha amiga verdadeira.

Conforme procuramos conforto e refúgio no Senhor para enfrentar e aprender como resolver os problemas tratados neste livro, Deus promete dar graça para nos ajudar se nos humilharmos diante dEle. Deus é Aquele em quem podemos lançar todas as nossas preocupações.

Humilhai-vos, portanto, sob a poderosa mão de Deus, para que ele, em tempo oportuno, vos exalte, lançando sobre ele toda a vossa ansiedade, *porque ele tem cuidado de vós* (1 Pedro 5.6-7).

PARTE UM

ℰ✥ℛ

SOLUÇÕES BÍBLICAS PARA PROBLEMAS COM OUTRAS PESSOAS

ℰ✥ℛ

Todos os vossos atos sejam feitos com amor.
1 Coríntios 16.14

2. Bem, tem problema se foi a minha mãe que me disse?

FOFOCA E DIFAMAÇÃO

"*PSIU! VENHA AQUI*. Quero dizer-lhe algo, mas você tem de prometer não contar a ninguém." "Você ficou sabendo?" "Adivinha só!" "Não acreditei que ela..." "Fiquei chocada ao saber..." "Não deveria dizer-lhe, mas precisamos orar por..."

Fofoca e difamação. Somos atraídas a elas como formigas a um piquenique. Quer envolvam rapazes ao redor de um bebedouro, no trabalho; ou, quer envolvam sua mãe ao telefone com você, fofoca e difamação são aflições pecaminosas comuns. E, realmente, quero dizer *aflições* pecaminosas. Elas destroem amizades, dizimam reputações e desonram nosso Senhor. Elas dividem igrejas, alimentam a opinião pública e sabotam nosso testemunho cristão.

Os pecados de fofoca e difamação são tão ofensivos a Deus que há uma descrição muito vívida em Salmos 35.15-16 das pessoas que tomavam parte nesse pecado. Nesse salmo, o rei Davi implorou que Deus livrasse sua alma "das violências deles" (v. 17). Davi era o rei ungido do Senhor e seus inimigos o atacaram de todas as maneiras que podiam, incluindo difamação e fofoca. Separe um momento para visualizar a vívida e grotesca descrição que Davi apresenta:

> Quando, porém, tropecei, eles se alegraram e se reuniram; reuniram-se contra mim; os abjetos, que eu não conhecia, dilaceraram-me sem tréguas; *como vis bufões em festins, rangiam contra mim os dentes* (Salmos 35.15-16).

Infelizmente, não precisamos ser inimigas declaradas do reino de Deus para parecermos com os inimigos de Davi.

Visto que a difamação e a fofoca são muito piores do que gostamos de pensar, e por serem pecados tão "feios", precisamos falar sobre elas. Começaremos com uma explicação bíblica da fofoca e da difamação. Em seguida, observaremos as advertências e princípios dados nas Escrituras a respeito da fofoca e da difamação e, por último, veremos o que colocar no lugar delas.

O QUE SÃO FOFOCA E DIFAMAÇÃO?

A palavra grega para *fofoca* é *diabolos*. Nossa palavra portuguesa *diabo* vem de *diabolos*. Significa acusar ou dar informação falsa. A palavra grega para difamação está, de certa forma, relacionada – *blasphemia*. Nossa palavra portuguesa blasfêmia vem de *blasphemia*. Significa um falar prejudicial ou aviltamento (caluniar ou depreciar).

Nas Escrituras fica claro que tanto a fofoca quanto a difamação são pecados. Tão claro, de fato, que há muitas advertências contra elas:

> Não andarás como mexeriqueiro entre o teu povo; não atentarás contra a vida do teu próximo. Eu sou o SENHOR (Levítico 19.16).

> Ao que às ocultas calunia o próximo, a esse destruirei; o que tem olhar altivo e coração soberbo, não o suportarei (Salmos 101.5).

> O mexeriqueiro revela o segredo; portanto, não te metas com quem muito abre os lábios (Provérbios 20.19).

> E dizia [o Senhor Jesus]: O que sai do homem, isso é o que o contamina. Porque de dentro, do coração dos homens, é que procedem os maus desígnios... a blasfêmia... Ora, todos estes males vêm de dentro e contaminam o homem (Marcos 7.20-23).

Ser caracterizado como um fofoqueiro ou difamador descreve uma pessoa pecaminosa, impura. As advertências são fortes e diretas nas Escrituras. Tanto a fofoca quanto a difamação acarretam a propagação de uma informação ruim sobre alguém. O que é dito pode ser verdade, ou mentira, ou uma mistura de ambas. *Mesmo que seja verdade, o fofoqueiro ou difamador está dizendo à pessoa errada.* (A única pessoa a quem deveriam estar dizendo é ao próprio autor da ação!)

Para entender melhor os problemas associados à fofoca e à difamação, consideremos os dezessete princípios bíblicos a seguir:

1. Fofoca e difamação caracterizam aqueles a quem Deus entregou à sua própria depravação:

> E, por haverem desprezado o conhecimento de Deus, o próprio Deus os entregou a uma disposição mental reprovável, para praticarem coisas inconvenientes, cheios de toda injustiça, malícia, avareza e maldade; possuídos de inveja, homicídio, contenda, dolo e malignidade; sendo *difamadores, caluniadores,* aborrecidos de Deus, insolentes, soberbos, presunçosos, inventores de males, desobedientes aos pais, insensatos, pérfidos, sem afeição natural e sem misericórdia. Ora, conhecendo eles a sentença de Deus, de que são passíveis de morte os que tais coisas praticam, não somente as fazem, mas também aprovam os que assim procedem (Romanos 1.28-32).

De acordo com Romanos 1, as pessoas que rejeitam a revelação que Deus lhes deu por meio da criação, que não dão a Deus a honra que Lhe é devida, e que não são gratas a Deus, são entregues, por Ele, à sua própria depravação. Depravação é o completo estado pecaminoso em que todas as pessoas nascem. Ser "entregue" significa que, de alguma forma, Deus deixa de restringir o pecado de um incrédulo. Uma das evidências na vida de uma pessoa assim é que ela faz fofoca e difama.

2. Nos últimos dias anteriores ao retorno de Cristo, os homens serão caracterizados como caluniadores:

> Sabe, porém, isto: nos últimos dias, sobrevirão tempos difíceis, pois os homens serão egoístas, avarentos, jactanciosos, arrogantes, blasfemadores, desobedientes aos pais, ingratos, irreverentes, desafeiçoados, implacáveis, *caluniadores,* sem domínio de

si, cruéis, inimigos do bem, traidores, atrevidos, enfatuados, mais amigos dos prazeres que amigos de Deus, tendo forma de piedade, negando-lhe, entretanto, o poder... (2 Timóteo 3.1-5).

Os dias anteriores ao retorno do Senhor Jesus são agora! Recentemente soube de uma causa judicial em que um jovem esposo testemunhou contra sua esposa numa situação de divórcio. Ele jurou, perante Deus, dizer a verdade e, mesmo assim, por vinte minutos, disse uma mentira depois da outra. Seu testemunho foi malicioso, extremamente egoísta e inacreditavelmente calunioso. É uma pena que ele exemplifique as pessoas destes dias. Quando ouvimos histórias como essa, e pensamos sobre como sua esposa deve ter se sentido, não admira o que o apóstolo João tenha escrito no final do livro de Apocalipse: "Vem, Senhor Jesus!" (Apocalipse 22.20) Os dias anteriores à volta de nosso Senhor são vividos por homens e mulheres caracterizados como fofoqueiros maliciosos.

3. Fortes advertências direcionadas àqueles caracterizados pela fofoca e difamação:

> Temo, pois, que, indo ter convosco, não vos encontre na forma em que vos quero, e que também vós me acheis diferente do que esperáveis, e que haja entre vós contendas, invejas, iras, porfias, detrações, intrigas, orgulho e tumultos. Receio que, indo outra vez, o meu Deus me humilhe no meio de vós, e eu venha a chorar por muitos que, outrora, pecaram e não se arrependeram da impureza, prostituição e lascívia que cometeram (2 Coríntios 12.20-21).

Será que Paulo teve problemas com o povo da igreja em Corinto? Ele dedicou sua vida a eles por dezoito meses e, após ter ido embora, recebeu notícias sobre o pecaminoso comportamento imaturo deles. Paulo tinha a intenção de voltar a Corinto e ajudá-los, mas enquanto isso não acontecia, ele escreveu a seguinte advertência com toda a sua plena autoridade apostólica: "Falamos em Cristo *perante Deus*, e tudo, ó amados, para vossa edificação" (2 Coríntios 12.19). Aparentemente, a mistura de pecado, temperamentos e contenda, mistura essa que foi desmedida por toda a igreja, estava sendo abastecida pela fofoca e difamação.

4. Pessoas que difamam são descritas na Bíblia como tolas:

> O que retém o ódio é de lábios falsos, e o que difama é insensato. No muito falar não falta transgressão, mas o que modera os lábios é prudente (Provérbios 10.18-19).

Os tolos são descritos de muitas maneiras nas Escrituras. Sabemos que eles não ouvem, que não conseguimos repreendê-los, que eles tomam decisões tolas, que são cegos para com seu próprio pecado, que falam demais (frequentemente a respeito de coisas sobre as quais eles nada sabem ou sabem pouco), que eles ouvem apenas um lado da história e que espalham difamação.

5. O Senhor Jesus Cristo incluiu a calúnia numa longa lista de coisas más que nos corrompem:

> Mas as coisas que saem da boca vêm do coração, e são essas que tornam o homem 'impuro'. Pois do coração saem os maus pensamentos, os homicídios, os adultérios, as imoralidades sexuais, os roubos, os falsos testemunhos e as *calúnias*. Essas tornam o homem 'impuro'... (Mateus 15.18-20 NVI).

Os fariseus acreditavam que comer com um gentio, ou que deixar de lavar as mãos segundo suas tradições cerimoniais, tornavam a pessoa impura. O Senhor Jesus Cristo refutou suas crenças ritualistas autopiedosas explicando que as pessoas não são corrompidas por aquilo em que tocam, mas pelas coisas que estão em seu coração (o que pensam e o que desejam). Uma manifestação do mal em seu coração que eventualmente sai pela sua boca é difamação.

6. Devemos nos despojar da maledicência:

> Agora, porém, despojai-vos, igualmente, de tudo isto: ira, indignação, maldade, *maledicência*, linguagem obscena do vosso falar. Não mintais uns aos outros, uma vez que vos despistes do velho homem com os seus feitos e vos revestistes do novo homem

que se refaz para o pleno conhecimento, segundo a imagem daquele que o criou (Colossenses 3.8-10).

Paulo explicou aos membros da igreja em Colossos que, como cristãos, eles não deveriam mais "andar" (pensar e agir) como o faziam na época em que não eram salvos. Agora, era deles a responsabilidade de ter discernimento quanto ao seu pecado, de confessá-lo como tal, e de despojar-se das maneiras maledicentes em que costumavam pensar e falar antes de serem cristãos.

7. Legalistas difamam aqueles que não confirmam os padrões deles:

> Porém, se alguém vos disser: Isto é coisa sacrificada a ídolo, não comais, por causa daquele que vos advertiu e por causa da consciência; consciência, digo, não a tua propriamente, mas a do outro. Pois por que há de ser julgada a minha liberdade pela consciência alheia? Se eu participo com ações de graças, por que hei de ser *vituperado* por causa daquilo por que dou graças? Portanto, quer comais, quer bebais ou façais outra coisa qualquer, fazei tudo para a glória de Deus (1 Coríntios 10.28-31).

O legalista cria padrões do tipo "Assim disse o Senhor", os quais estão acima e além dos claros padrões de Deus nas Escrituras. Paulo, pessoalmente, foi difamado porque comeu carne sacrificada a ídolos. Ainda que não seja errado ter seus próprios padrões pessoais, é errado julgar de forma antibíblica e difamar outros que não defendem as mesmas diretrizes.

8. O difamador separa bons amigos:

> O homem perverso espalha contendas, e o difamador separa os maiores amigos (Provérbios 16.28).

Provérbios são aqueles ditados do tipo "Ah, isso é verdade", referindo-se a coisas que acontecem generalizadamente. Mentiras, insinuações, informações ruins e difamação podem arruinar definitivamente uma boa amizade! Eu sei de um rapaz que estava interessado numa jovem, e eles tornaram-se amigos. Contudo, ele afastou-se dela depois que um amigo lhe deu uma informação ruim sobre ela. A jovem não entendia porque ele se afastara, então, perguntou-lhe. Confuso, ele decidiu verificar os fatos, os quais terminaram por serem a favor dela e, agora, eles estão casados e contentes. Felizmente, para aquele casal, o difamador não teve sucesso em separá-los no estágio de amizade em que ambos estavam.

9. *Se você não quer que seus segredos sejam divulgados, não se meta com um fofoqueiro:*

> O *mexeriqueiro* revela o segredo; portanto, não te metas com *quem muito abre os lábios* (Provérbios 20.19).

Pensar sobre o desejo de não ter seus segredos revelados lembra-me a história de Sansão. Dalila conseguiu, com língua bajuladora, arrancar de Sansão o segredo de sua grande força. Ele confiou nela, e ela revelou o segredo aos inimigos dele, os filisteus. O resto da história é que Sansão foi conquistado por seus inimigos (Juízes 16). Certamente, nem todos são tão astutos e deliberadamente maliciosos como Dalila, quando dizem a outros seus segredos, mas as Escrituras advertem contra o envolvimento com pessoas assim (quer tenham elas a intenção de prejudicar ou não).

10. *Um homem justo, de coração, fala a verdade e não difama:*

> Quem, SENHOR, habitará no teu tabernáculo? Quem há de morar no teu santo monte? O que vive com integridade, e pratica a justiça, e, de coração, fala a verdade; o que não *difama* com sua língua, não faz mal ao próximo, nem lança injúria contra o seu vizinho (Salmos 15.1-3).

No salmo 15, Davi descreve várias características de um homem justo. Duas dessas características são que ele fala, de coração, a verdade e não difama. Há uma relação direta entre o que está em nosso coração e o que sai de nossa boca. O Senhor Jesus explicou a conexão assim: "A boca fala do que está cheio o coração. O homem bom tira do tesouro bom coisas boas; mas o homem mau do mau tesouro tira coisas más" (Mateus 12.34-35). Um homem piedoso não difama aos outros secretamente (em seu coração), nem abertamente (com palavras).

11. Devemos sempre ter um comportamento exemplar a fim de que Deus seja glorificado por aqueles que nos difamam:

> Mantendo exemplar o vosso procedimento no meio dos gentios, para que, naquilo que *falam contra* vós outros como de malfeitores, observando-vos em vossas boas obras, glorifiquem a Deus no dia da visitação (1 Pedro 2.12).

Deus sabia que os primeiros a receberem a carta de Pedro logo passariam por perseguição pelo perverso rei romano, Nero. Essa carta inspirada era um apelo para que preparassem sua mente e sua esperança, para que fossem firmes em sua fé, para que confiassem a Deus a sua alma, para que sempre estivessem prontos, vivendo dentro da vontade de Deus e mantendo um comportamento exemplar. Nós, também, deveríamos estar prontos e preparados para viver uma vida santa. Então, se sofremos com a difamação dos incrédulos, sabemos que temos honrado a Deus durante a perseguição.

12. Mantenha a consciência limpa quando você for difamada e, ao fazer isso, estará sofrendo por causa da justiça:

> Mas, ainda que venhais a sofrer por causa da justiça, bem-aventurados sois. NÃO VOS AMEDRONTEIS, PORTANTO, COM AS SUAS AMEAÇAS, NEM FIQUEIS ALARMADOS; antes, santificai a Cristo, como Senhor, em vosso coração, estando sempre preparados para responder a todo aquele que vos pedir razão da esperança que há em vós, fazendo-o, todavia, com mansidão e temor, com boa consciência, de modo que, naquilo em que *falam contra vós outros*, fiquem envergonhados os que difamam o vosso bom procedimento em Cristo, porque, se for da vontade de Deus, é melhor que sofrais por praticardes o que é bom do que praticando o mal (1 Pedro 3.14-17).

Com frequência, a difamação tem, pelo menos, um traço de verdade. Por exemplo, pode ser dito a respeito de certa mulher que ela é uma mãe ruim. Bem, ela pode não ser a pior mãe na história do mundo, mas pode ser dura e egoísta às vezes. Então, existe alguma verdade na informação de que ela é uma mãe ruim. Pedro nos estimula a obedecer a Deus e a ter uma consciência limpa a fim de que, ao sermos difamadas, não haja sequer um traço de verdade naquilo. Em vez disso, o difamador envergonhará a si mesmo e você sofrerá por causa da justiça.

13. Quando difamadas, devemos tentar uma conciliação (ganhar a afeição da outra pessoa):

> Quando *caluniados*, procuramos conciliação; até agora, temos chegado a ser considerados lixo do mundo, escória de todos (1 Coríntios 4.13).

Em 1 Coríntios 4.12-13, Paulo aconselha um determinado padrão comportamental de forma muito prática. Ele diz: "Quando somos injuriados, bendizemos; quando perseguidos, suportamos; quando caluniados, procuramos conciliação". Para tentar ganhar a afeição da outra pessoa e para conseguir este feito, nossas respostas devem ser graciosas e pacientes. Se possível, fale com o difamador e, humildemente, tente compreender a intenção dele. Por fim, num tom de voz gentil, explique a ideia verdadeira. Isso me lembra o que Paulo escreveu em Romanos 12.18: "Se possível, quanto depender de vós, tende paz com todos os homens". Quando você for difamada, pague o mal com o bem e procure conciliação.

14. Uma das honradas qualidades da mulher é abster-se da fofoca:

> Da mesma sorte, quanto a mulheres, é necessário que sejam elas respeitáveis, não maldizentes, temperantes e fiéis em tudo (1 Timóteo 3.11).

À mulher cristã que fofoca sobre os problemas ou sobre as falhas do caráter de outras pessoas não deve ser dada a responsabilidade de servir, especialmente em áreas da igreja nas quais ela precisa ser reservada a respeito de informações delicadas. Ela deve, como Paulo escreveu, ser fiel em tudo, incluindo o uso de sua língua.

15. Mulheres mais velhas e espiritualmente maduras que são qualificadas a ensinar as mais jovens não são caluniadoras:

> Quanto às mulheres idosas, semelhantemente, que sejam sérias em seu proceder, *não caluniadoras*, não escravizadas a muito vinho, sejam mestras do bem (Tito 2.3).

Imagine uma mulher jovem que luta com algum problema em seu casamento ou com seus filhos. Ela está desnorteada, confusa e não sabe o que fazer. Na igreja, ela busca secretamente o conselho de uma mulher mais velha e, em seguida, descobre que todos estão sabendo! É fácil entender porque Paulo instruiu Tito a ensinar as mulheres mais velhas que elas não deveriam ser fofoqueiras.

16. É melhor que as viúvas jovens casem-se do que tenham tempo vago para fofocar:

> Além do mais, aprendem [viúvas jovens] também a viver ociosas, andando de casa em casa; e não somente ociosas, mas ainda tagarelas e intrigantes, falando o que não devem (1 Timóteo 5.13).

Nos dias de Paulo, a expectativa de vida era curta e, assim, provavelmente havia na igreja muitas viúvas de todas as idades. O que deveria ser feito com essas mulheres? Paulo alerta quanto aos perigos de as viúvas mais jovens e menos maduras terem muito tempo e se envolverem em fofoca. Em vez disso, ele dá a instrução que elas devem casar e, assim, manterem-se ocupadas, não tendo tempo para falar sobre assuntos impróprios.

17. Os cristãos devem substituir a difamação por bondade, compaixão e perdão:

> Longe de vós, toda amargura, e cólera, e ira, e gritaria, e *blasfêmias*, e bem assim toda malícia. Antes, sede uns para com os outros

benignos, compassivos, perdoando-vos uns aos outros, como também Deus, em Cristo, vos perdoou (Efésios 4.31-32).

Quando uma mentirosa deixa de ser mentirosa? No momento em que começa a dizer toda a verdade. Quando uma caluniadora amarga e irada deixa de ser uma caluniadora amarga e irada? No dia em que começa a ser amável, bondosa e uma pessoa compassiva, que diz a verdade. Deus, em sua formidável graça, ajuda-nos a trocar hábitos pecaminosos por hábitos piedosos, conforme nossa mente é renovada mediante o estudo e a aplicação das Escrituras. Em vez de "Eu o odeio pelo que fez e direi a todos que quiserem ouvir", é "O que ele fez foi errado, mas ele não tem capacidade de amar os outros como deveria porque é um incrédulo". Os cristãos devem honrar a Deus com seus pensamentos. Eles nunca deixarão de ser difamadores até começarem a ser amáveis, compassivos e bondosos.

Nesses princípios bíblicos vemos que há não somente fortes advertências quanto a fofoca e a difamação, mas também exortações para abandonarmos esses pecados em nosso coração e em nossas palavras. A fim de que não sejamos como os rebeldes filhos de Sião que "ensinam a sua língua a proferir mentiras; [e] cansam-se de praticar a iniquidade" (Jeremias 9.5), voltemos nossa atenção à questão prática do despojar-se da mentira, da fofoca e da difamação e do revestir-se dos pensamentos e das palavras piedosas e justas.

REVISTA-SE DE UM CORAÇÃO...

O pecado começa em nosso coração. Temos pensamentos pecaminosos porque essa é nossa inclinação natural. A Bíblia não manda que mudemos nossos sentimentos, ela manda que renovemos nossa mente (Romanos 12.2). Fazemos isso simplesmente estudando a Bíblia, memorizando-a, meditando sobre ela, assim como ouvindo quando ela é pregada. Então, quando percebemos que nossos pensamentos e que nosso jeito de falar com fofocas e difamações estão errados, temos a responsabilidade de *mudar* nossos pensamentos e as coisas que falamos. Isso é o que Paulo chama de despojar-se do velho homem e revestir-se do novo homem (veja Efésios 4.22-24).

Todos sabem que maus hábitos são difíceis de interromper. Contudo, os cristãos têm a ajuda do Espírito Santo para convencê-los e capacitá-los a trabalhar na mudança do hábito pecaminoso. Eventualmente, pensamentos e ações justas virão à mente em primeiro lugar, não em último. Reflita sobre seus próprios pensamentos e palavras conforme considera os exemplos do "despojar-se" e do revestir-se citados na ilustração 2.1.

Para mudar seu hábito pecaminoso de fofocar e difamar, você deve se esforçar muito, pelo tempo que for necessário, tendo pensamentos justos. Isso não é fácil, mas com a ajuda de Deus você pode parar de fofocar e de difamar.

Conclusão

O que Tiago escreveu foi muito sensato: "A língua, porém, nenhum dos homens é capaz de domar; é mal incontido, carregado de veneno mortífero. Com ela, bendizemos ao Senhor e Pai; também, com ela, amaldiçoamos os homens, feitos à semelhança de Deus... Meus irmãos, não é conveniente que estas coisas sejam assim" (Tiago 3.8-10). Essa afirmação de Tiago é realmente desencorajadora, mas há esperança, porque ele continua a escrever: "Ele dá maior graça..." (Tiago 4.6). Não precisamos ter uma vida caracterizada por difamação e fofoca, pois temos a graça de Deus. E como agradecemos a Deus por essa graça!

Ilustração 2.1. – Despojando e revestindo

Despojar	Revestir
1. "Não devo contar, mas…"	1. "Não devo contar, então, simplesmente pararei de falar e orarei pela pessoa que eu estava a ponto de difamar."
2. "Mal posso esperar para dizer a minha amiga o que aquela pessoa fez!"	2. "O que aquela pessoa fez foi errado, então, me dirigirei a ela e tentarei ajudá-la. Ninguém mais precisa saber." (Mateus 18.15)
3. "Fiquei tão chateada com o que ela fez a sua amiga…" (Depois o telefone toca e é sua mãe).	3. "Fiquei chateada, mas 'a ira do homem não produz a justiça de Deus', então, vou orar por ela e tentarei, com a graça de Deus, falar do evangelho para ela. Minha mãe não precisa saber." (Tiago 1.20; Colossenses 4.6)
4. "Aquela parente minha magoou nossa família. Esta pessoa me pergunta sobre ela e direi cada detalhe sórdido!"	4. "Embora minha parente ainda não tenha se arrependido, mostrarei amor para com ela não continuando a me ressentir do mal, e não repetindo os detalhes sórdidos várias vezes em minha mente e em voz alta." (1 Coríntios 13.5).
5. "O que estou a ponto de dizer é verdade, então, tudo bem eu dizer."	5. "O que estou a ponto de dizer, pode ser verdade, mas estou, desnecessariamente, a ponto de passar para frente uma informação ruim. Preciso mudar o tópico da conversa de modo que não seja tentada a fofocar." (Filipenses 4.8).
6. "Sei que não ouvi o outro lado desta história, mas tenho certeza de que está certo o que ouço agora."	6. "Sei que não ouvi o outro lado desta história, e não tenho certeza do que eu deveria pensar até ouvir o outro lado, então, é melhor ter cuidado com o que digo."

Como parecem para Deus os seus pensamentos e suas palavras? Você é como os inimigos de Davi, "vis bufões em festins", que rangiam os dentes contra ele e de contínuo o difamavam, ou é como o cristão ou a cristã descrita por Tiago, que refreia sua língua e não fala mal do irmão? (veja Salmos 35.15-16; Tiago 3.2; 4.11) Qual é sua oração?

Questões para Estudo

1. Quais são as palavras gregas para *fofoca* e *difamação*? O que as palavras gregas significam? Quais palavras portuguesas são derivadas dessas palavras gregas?

2. De acordo com Marcos 7.20-23, onde se origina a difamação?

3. Em vez de passar adiante uma informação ruim sobre alguém, quem é a única pessoa com quem você *deveria* falar?

4. Faça a correspondência das seguintes frases com as referências bíblicas:

Deus os entregou a uma mente depravada.	2 Coríntios 12.20-21
Nos dias anteriores ao retorno do Senhor Jesus, os homens serão caluniadores.	Mateus 15.18-20
Paulo escreveu uma carta advertindo-os quanto a sua fofoca e difamação.	Provérbios 10.18-19
Aquele que espalha calúnias é um tolo.	Romanos 1.28-32
O Senhor Jesus disse que a difamação corrompe a pessoa.	2 Timóteo 3.1-5

5. Segundo Colossenses 3.8-10, aliste as coisas das quais os cristãos devem *despojar-se*.

6. De acordo com o princípio 7, o que o legalismo e a difamação têm a ver um com o outro?

7. O que aprendemos sobre um difamador em Provérbios 16.28 e 20.19?

8. A partir de onde o homem justo fala a verdade? (Salmos 15.1-3)

9. Quando alguém nos difama, como deveríamos reagir? (veja 1 Pedro 2.12; 3.14-17)

10. O que a palavra *conciliar* significa? (veja 1 Coríntios 4.13)

11. Faça a correspondência entre as seguintes referências bíblicas concernentes a mulheres e fofoca:

As mulheres devem ser fiéis em todas as coisas e não caluniadoras.	1 Timóteo 5.13
As mulheres mais velhas devem ensinar as mais novas e não serem, elas mesmas, fofoqueiras.	1 Timóteo 3.11
As viúvas mais jovens não devem ser intrometidas e fofoqueiras.	Tito 2.3

12. De acordo com Efésios 4.31-32, o que deveria substituir a blasfêmia?

13. É fácil estar convicto da fofoca e da difamação. Contudo, não é fácil interromper um hábito pecaminoso. É preciso trabalho e a graça de Deus. Tome como referência o quadro ilustrativo 2.1 e escreva alguns de seus típicos pensamentos errados e as atitudes bíblicas correspondentes das quais nos deveríamos revestir. Pense e ore sobre isso agora, a fim de que, na próxima vez em que você for tentada, seja capaz de responder de uma maneira que glorifique a Deus.

3 O que você quer dizer com "Eu posso viver sem ele"?

LIGAÇÕES EMOCIONAIS IDÓLATRAS

NO FERIADO DE NATAL, os pais de Wendy, que tem vinte e dois anos, visitam-na. Wendy está morando e trabalhando numa cidade grande e, para chegar lá, eles precisam dirigir por horas. Durante o tempo da visita, o namorado de Wendy, Jim, está presente quase o tempo todo, exceto quando está trabalhando ou dormindo. Os pais de Wendy ficam preocupados sobre isso e, também, assustados com a maneira de Jim tratar Wendy. Ele é indelicado em seu tom de voz, e claramente eles percebem que ele fica muito desconfortável quando fala sobre o Senhor. A igreja que ele frequenta não é doutrinariamente sã e ele vai aos cultos apenas ocasionalmente. Além disso, Jim também toma a liberdade de beber vinho até ao ponto de ficar bêbado. Os pais de Wendy não compreendem por que sua filha desejaria (ou suportaria) um namorado com tal comportamento. Eles oram sobre isso e, então, falam com ela em particular. Ainda que o relacionamento de Wendy com seus pais sempre tivesse sido bom, eles surpreendem-se muito quando ela fica na defensiva sobre seu relacionamento com Jim. Ela chora e fica chateada e ameaça excluí-los de seu mundo, se não aceitarem Jim.

A irmã de Bob, Nancy, e o esposo dela, Fred, convidam Bob para visitá-los ao fim da primavera. Bob é aluno pós-graduado numa universidade perto da casa deles e pergunta se pode trazer seu amigo John. Nancy e Fred alegram-se em receber o amigo de Bob. Na verdade, eles têm dois quartos vazios, então, não será problema acomodá-los no momento de dormir. Quando Bob e John chegam, fica óbvio que eles são muito próximos. Tão próximos, de fato, que Nancy e Fred ficam preocupados. O jeito de Bob e John olharem um para o outro e a forma como sentam perto um do outro parecem mais namorados do que simplesmente amigos. À noite, cada um acomoda-se em seu próprio quarto, mas aconteceu de Fred estar de pé bem cedo em determinada manhã e ver John sair às escondidas do quarto de Bob. Certamente parecia que os dois homens haviam dormido juntos. Nancy e Fred discutem sobre o que fazer e decidem confrontar Bob em particular. Entretanto, quando eles o fazem, Bob explode em ira e diz que não vai desistir de seu relacionamento com John, que eles estão julgando-os e reagindo muito emocionalmente.

O que têm em comum esses dois relacionamentos muito diferentes e, contudo, inquietantes? Há um laço emocional idólatra que envolve anseios desordenados e desejos pecaminosos de estar com a pessoa, mesmo quando isso é obviamente errado. Esses desejos resultaram em Wendy e Bob serem condescendentes com o pecado, a fim de continuarem seu relacionamento com a outra pessoa. Wendy e Jim têm vida sexual fora do casamento. Bob e John têm um relacionamento homossexual ativo. Tanto Wendy quanto Bob estão dispostos a rejeitar suas famílias e até o Senhor, se for necessário, para continuarem com seus amantes. Como isso pode ter acontecido? Tanto Wendy quanto Bob cresceram na igreja e ainda professam conhecer o Senhor. Neste capítulo, consideraremos o que aconteceu na vida deles que os levou a terminarem assim. Começaremos com uma definição de ligações emocionais idólatras e então descreveremos como são essas ligações. Depois consideraremos como alguém é atraído a relacionamentos assim, e como, pela graça de Deus, podem renovar a mente e *abandonar* uma ligação emocional idólatra para *manter* uma adoração a Deus vinda de um coração puro.

O QUE SÃO LIGAÇÕES EMOCIONAIS IDÓLATRAS?

Ligações emocionais idólatras são aqueles relacionamentos que envolvem anseios desordenados por outra pessoa e uma crença de que você não consegue viver sem ela. Esses relacionamentos geralmente envolvem imoralidade sexual. Por causa do pecado envolvido, as emoções são excessivas e aparentemente muito difíceis de superar. A consciência da pessoa em pecado é aliviada pelo pensamento: *Mas nós amamos um ao outro*, ou *Ninguém saberá*, ou *Deus entende*, ou *Não faremos isso outra vez*. O parceiro desta pessoa no pecado realmente torna-se o deus dela, visto ser ela muito mais leal a seu parceiro do que ao Senhor Jesus. O desejo apaixonado dela pelo amante ilícito cresce na proporção em que seu amor pelo Senhor Jesus diminui (se é que alguma vez houve realmente amor por Ele). Com frequência, ela percebe que o relacionamento não é bom, mas existe algo que faz com que a pessoa o prolongue. Diante do fato que todos são capazes de cometer qualquer pecado, a pergunta torna-se a seguinte:

COMO ALGUÉM É ATRAÍDO A RELACIONAMENTOS DESSE TIPO?

A pessoa que atrai você a um relacionamento desse tipo comumente diz coisas como: "Ninguém jamais me entendeu como você me entende"; "Não consigo viver sem você"; "Se você soubesse o que eu fiz, não seria minha amiga"; "Não tenho certeza do que faria, se você me deixasse" (sugerindo suicídio); ou ainda: "Sei que fomos longe demais desta vez, mas não diga a ninguém. Não faremos isso novamente". Com frequência somos ingênuas e nos falta discernimento, então, nos sentimos lisonjeadas e acreditamos que a pessoa realmente precisa de nós, e que somos responsáveis por ajudá-la, ou que podemos, de alguma forma, mudar as coisas para melhor. Até as amizades das cristãs podem tornar-se idólatras, se uma coloca a outra na frente de seu relacionamento com o Senhor, com seu esposo ou seus filhos. Conforme as pessoas se entrelaçam em nossa vida e em nosso coração, passamos por cima de nossas preocupações por causa de nossos próprios desejos pecaminosos ou de nossa cobiça.

"Ao contrário, cada um é tentado pela sua própria cobiça, quando esta o atrai e seduz" (Tiago 1.14). A palavra *cobiça* nesse verso é a palavra grega *epithumia*. *Epithumia* "denota um forte desejo de qualquer tipo".[1] O desejo pode ser bom, assim como o desejo que o Senhor Jesus teve de comer a Páscoa com seus apóstolos, em Lucas 22.15; ou como o desejo que o apóstolo Paulo teve de partir desta vida e estar com o Senhor, em Filipenses 1.23. Por outro lado, o desejo pode ser pecaminoso.

Considere os seguintes trechos das Escrituras:

Não reine, portanto, o pecado em vosso corpo mortal, de maneira que obedeçais às suas *paixões* (Romanos 6.12).

Mas revesti-vos do Senhor Jesus Cristo e nada disponhais para a carne no tocante às suas *concupiscências* (Romanos 13.14).

Digo, porém: andai no Espírito e jamais satisfareis à *concupiscência* da carne (Gálatas 5.16).

E os que são de Cristo Jesus crucificaram a carne, com as suas paixões e *concupiscências* (Gálatas 5.24).

Entre os quais também todos nós andamos outrora, segundo as *inclinações* da nossa carne, fazendo a vontade da carne e dos pensamentos; e éramos, por natureza, filhos da ira, como também os demais (Efésios 2.3).

Porquanto, proferindo palavras jactanciosas de vaidade, engodam com *paixões* carnais, por suas libertinagens, aqueles que estavam prestes a fugir dos que andam no erro, prometendo-lhes liberdade, quando eles mesmos são escravos da corrupção, pois aquele que é vencido fica escravo do vencedor (2 Pedro 2.18-19).

Porque tudo o que há no mundo, a *concupiscência* da carne, a *concupiscência* dos olhos e a soberba da vida, não procede do Pai, mas procede do mundo (1 João 2.16).

Por mais que sejam boas nossas intenções, e por mais inocentes que sejamos, quando iniciamos um relacionamento, nossos próprios desejos pecaminosos nos arrastam e nos incitam a permanecer nele mesmo que, claramente, isso não seja da vontade de Deus. Lutar contra emoções intensas, desordenadas, não é fácil, mas certamente não é impossível, com a graça capacitadora de Deus. A verdade de Deus pode nos libertar de nosso pecado conforme abraçamos o que Ele nos ensinou em sua Palavra, e conforme agimos segundo a verdade e não segundo o que sentimos.

Abandonando as ligações emocionais idólatras

O que pensamos se transforma em como nos sentimos e agimos. Quando pensamos (por qualquer que seja a razão) que não podemos viver sem uma pessoa, então sentiremos intenso desejo de nos agarrarmos a ela. Semelhantemente, depois disso, faremos tudo que for preciso para tentar mantê-la em nossa vida.

Felizmente, para os cristãos aprisionados num relacionamento pecaminoso, existe esperança. Depois que Paulo fez a apavorante advertência em 1 Coríntios, de que pessoas injustas, como devassos e homossexuais, não estarão no reino de Deus, ele deu maravilhosa esperança aos cristãos para os quais estava escrevendo: "Tais *fostes* alguns de vós"! (1 Coríntios 6.11). O domínio e poder do pecado foi quebrado para o cristão mediante a morte do Senhor Jesus Cristo, na cruz:

> Não reine, portanto, o pecado em vosso corpo mortal, de maneira que obedeçais às suas paixões; nem ofereçais cada um os membros do seu corpo ao pecado, como instrumentos de iniquidade; mas oferecei-vos a Deus, como ressurretos dentre os mortos, e os vossos membros, a Deus, como instrumentos de justiça. Porque o pecado não terá domínio sobre vós; pois não estais debaixo da lei, e sim da graça (Romanos 6.12-14).

Desde que temos o mandamento e a graça de Deus para nos ajudar, quais são alguns pensamentos e ações bíblicas que podemos manter para escaparmos das ligações emocionais idólatras?

1. *Abandone o seu pensamento errado sobre a outra pessoa e pense corretamente sobre Deus e sua responsabilidade de honrá-Lo e adorá-Lo.*

- Em vez de pensar: *Eu não consigo viver sem ele*, pense: *Pode ser difícil, mas não existe uma pessoa sem a qual eu não possa viver. O Senhor me ajudará e promete estar comigo* (veja Hebreus 13.5).
- Em vez de pensar: *Ninguém jamais me amará como ele*, pense: *Deus proíbe que alguém me ame deste jeito! O verdadeiro amor bíblico "não se alegra com a injustiça, mas regozija-se com a verdade"* (veja 1 Coríntios 13.6).
- Em vez de pensar: *Não suporto ficar sozinha*, pense: *Posso não ter ninguém, mas nunca estou sozinha, pois o Senhor está comigo. Eu O louvarei pelo auxílio de sua presença* (veja Salmos 42.5).

2. *Arrependa-se de pecado sexual e/ou de pensamentos sensuais. Expresse a Deus sua vergonha e remorso, e peça o perdão dEle:*

> Fugi da impureza. Qualquer outro pecado que uma pessoa cometer é fora do corpo; mas aquele que pratica a imoralidade peca contra o próprio corpo. Acaso, não sabeis que o vosso corpo é santuário do Espírito Santo, que está em vós, o qual tendes da parte de Deus, e que não sois de vós mesmos? Porque fostes comprados por preço. Agora, pois, glorificai a Deus no vosso corpo (1 Coríntios 6.18-20).

> Perceba que, se você é uma cristã, Deus habita em seu corpo e você foi redimida por seu sangue. "Carregando ele mesmo em seu corpo, sobre o madeiro, os nossos pecados, para que nós, mortos para os pecados, vivamos para a justiça; por suas chagas, fostes sarados" (1 Pedro 2.24). Ações e pensamentos sexuais pecaminosos são vergonhosos. Tais pensamentos e ações, se você os praticar, são contra Deus. Se você é culpada, pare um pouco agora para orar e expresse seu remorso e tristeza pelo seu pecado. Depois, honre a Deus crendo que "se confessarmos os nossos pecados, ele é fiel e justo para nos perdoar os pecados e nos purificar de toda injustiça" (1 João 1.9).

3. Aceite sua responsabilidade de prestar contas.

Prestar contas a alguém pode ser constrangedor e humilhante, mas é um componente chave para fugirmos de relacionamentos pecaminosos, porque Deus "dá graça aos humildes" (Tiago 4.6). Além disso, os cristãos devem ajudar um ao outro a tornarem-se o mais parecidos possível com o Senhor Jesus Cristo, e isso inclui levar as cargas [no contexto de ajudar um irmão em pecado] uns dos outros e, assim, cumprir a lei de Cristo (veja Gálatas 6.2). Geralmente, quando aconselho uma mulher que está lutando para sair e não retornar a um relacionamento errado, digo-lhe: "Se você tiver um ataque de Jim (ou qualquer que seja o nome da pessoa), ligue para mim e ajudarei você a pensar corretamente". Prestar contas geralmente é crucial. Não deixe seu orgulho impedir você de recorrer a uma cristã madura e piedosa pedindo ajuda para carregar seu fardo de pecado.

4. Aprofunde-se na Palavra de Deus, meditando sobre ela e memorizando-a.

O efeito de entregar-se completamente às Escrituras é simples: "Guardo no coração as tuas palavras, para não pecar contra ti" (Salmos 119.11). Deus usa as Escrituras para nos tornar de tal forma mais sábias a ponto de discernirmos "não somente o bem, mas também o mal" (Hebreus 5.14). Deus também usa as Escrituras de uma forma sobrenatural para julgar os pensamentos e propósitos do seu coração (veja Hebreus 4.12). Os cristãos chamam isso de "ficar sob convicção". Isso apenas significa que você sente-se inquieta ou culpada a respeito de alguma coisa em que está pensando ou que está fazendo. Para o filho de Deus, é imprescindível estudar a Bíblia todos os dias, se quisermos resistir e abandonar o pecado.

5. Confronte a outra pessoa biblicamente com o pecado dela.

Confrontar alguém com o pecado geralmente é algo muito difícil de fazer, ainda mais quando a pessoa que confronta sabe que também é culpada (de fato, ela pode ter sido a responsável por atrair a outra pessoa ao relacionamento idólatra!), e não quer ferir os sentimentos do outro. Isso é compreensível, mas deve ser superado biblicamente.

O Senhor Jesus deixou claro que devemos tirar primeiro a trave do nosso olho e, então, veremos claramente para tirar o argueiro do olho de nosso irmão (Mateus 7.5). Então, se você esteve envolvida, antes de confrontar a outra pessoa, primeiro peça perdão pela sua parte no erro. Depois, conforme a Bíblia nos instrui em Gálatas 6.1, com gentileza, e com o objetivo de restaurar a pessoa em questão a um relacionamento com Deus e com os outros, confronte-a. Não será fácil, mas poderá ser menos traumático se você anotar o que deseja falar e depois praticar várias vezes em voz alta.

6. *Supere o mal com o bem estabelecendo limites condizentes com as leis de Deus, limites firmes e justos.*

"Não vos enganeis: as más conversações corrompem os bons costumes" (1 Coríntios 15.33). Continuar sendo amiga de uma pessoa com quem você teve uma ligação idólatra tornaria quase impossível manter uma vida pura. Em vez de arriscar a possibilidade de ser levado de volta a um relacionamento pecaminoso, perceba a sua liberdade em Cristo e se afaste da outra pessoa (veja 2 Coríntios 6.14-18). Mesmo que ela alegue ser cristã, se persiste em pecado, o apóstolo Paulo adverte-nos: "Mas, agora, vos escrevo que não vos associeis com alguém que, dizendo-se irmão, for impuro..." (1 Coríntios 5.11). Seja clara com a outra pessoa quanto aos limites que você está estabelecendo e relate tudo para a pessoa a quem você está prestando contas, a fim de que ela certifique-se de que você manterá esses limites. Se a outra pessoa for cristã e estiver disposta a abandonar seu pecado, para você, potencialmente, ela ainda é "algo disponível para a carne" (veja Romanos 13.14). Simplesmente não vale a pena correr qualquer risco.

7. *Perceba que você jamais será capaz de satisfazer a ligação idólatra da outra pessoa, não importa o que faça por ela.*

"Para os perversos, diz o meu Deus, não há paz" (Isaías 57.21). Existe uma razão para isso. Ou seja, a pessoa com um relacionamento emocional idólatra anseia pelo deus errado e o adora. O amor e a devoção por alguém dentro de um relacionamento pecaminoso é concupiscência da carne e ela nunca fica satisfeita.

Se pudesse ser satisfeita, então as pessoas facilmente parariam de beber em excesso, ou parariam de jogar, ou de olhar pornografia. Desde que a empolgação e a sedução do pecado nunca ficam satisfeitas, você precisa parar de ser a pessoa que tenta satisfazer a uma ligação sensual de alguém com você. Em vez disso, ofereça-lhe ajuda mediante outra fonte.

8. Ofereça à pessoa o nome de alguém e de uma igreja que possam falar-lhe do evangelho e ministrar-lhe um aconselhamento bíblico. Se a pessoa não seguir o conselho, aceite o fato de que esse não é problema seu, mas dela.

Certamente há duas pessoas num relacionamento emocionalmente idólatra e, como cristãs, deveríamos nos preocupar com ambas. É claro que elas deveriam separar-se uma da outra, mas é preciso que seja oferecida ajuda bíblica às duas pessoas, numa igreja local. Nenhuma de nós pode fazer uma pessoa procurar ajuda e procurar prestar contas de seus atos, mas mesmo assim, essas oportunidades deveriam ser oferecidas. Como resultado, a pessoa que está tentando conseguir ajuda terá feito tudo o que deveria fazer e precisa aceitar o fato de que isso é tudo que ela pode fazer. Contudo, uma palavra de cautela: Se a outra pessoa ameaça machucar-se, aquela que está tentando fazê-la buscar ajuda deve entrar em contato com a família da pessoa, com a igreja ou, em caso extremo, com a polícia.

9. Seja intensa e fiel em sua adoração a Deus e alegre-se nos caminhos dEle, quer você venha a ter outra amizade ou não.

O rei Davi enfrentou muitas provações, incluindo o seu próprio pecado, mas apesar disso, ele dedicou todo o coração para Deus (veja Atos 13.22). Os salmos revelam o coração de Davi, conforme sua poesia transborda de sua alma, alegrando-se no Senhor e exultando em sua salvação. Considere uma pequena amostra:

Eu creio que verei a bondade do SENHOR na terra dos viventes. Espera pelo SENHOR, tem bom ânimo, e fortifique-se o teu coração; espera, pois, pelo SENHOR (Salmos 27.13-14).

Em ti, SENHOR, me refugio; não seja eu jamais envergonhado; livra-me por tua justiça. Inclina-me os ouvidos, livra-me depressa; sê o meu castelo forte, cidadela fortíssima que me salve. Porque tu és a minha rocha e a minha fortaleza; por causa do teu nome, tu me conduzirás e me guiarás (Salmos 31.1-3).

Oh! Provai e vede que o SENHOR é bom; bem-aventurado o homem que nele se refugia (Salmos 34.8).

E minha alma se regozijará no SENHOR e se deleitará na sua salvação (Salmos 35.9).

A tua benignidade, SENHOR, chega até aos céus, até às nuvens, a tua fidelidade. A tua justiça é como as montanhas de Deus; os teus juízos, como um abismo profundo. Tu, SENHOR, preservas os homens e os animais. Como é preciosa, ó Deus, a tua benignidade! Por isso, os filhos dos homens se acolhem à sombra das tuas asas. Fartam-se da abundância da tua casa, e na torrente das tuas delícias lhes dás de beber. Pois em ti está o manancial da vida; na tua luz, vemos a luz (Salmos 36.5-9).

Agrada-te do SENHOR, e ele satisfará os desejos do teu coração. Entrega o teu caminho ao SENHOR, confia nele, e o mais ele fará. Fará sobressair a tua justiça como a luz e o teu direito, como o sol ao meio-dia (Salmos 37.4-6).

Amizades virtuosas são um presente de Deus, mas o contentamento também o é – quer você tenha um amigo especial ou não. O único antídoto contra a solidão e a saudade de um amigo idólatra é alegrar-se no Senhor e no que Ele está fazendo em sua vida. Intensa e fielmente, assim como fez Davi, adore e alegre-se no Senhor. Então, você verá quão verdadeiramente bom Ele é.

Conclusão

Conforme foi mencionado no início deste capítulo, ligações emocionais idólatras são aqueles relacionamentos que envolvem anseios desordenados por outra pessoa e uma crença de que não se pode viver sem ela. Como Wendy com seu namorado, ou Bob com seu amante homossexual, relacionamentos idólatras com frequência envolvem imoralidade sexual. Embora nunca seja fácil abandonar uma ligação idólatra, é possível para pessoas como Wendy e Bob abandonarem seu pecado, alegrarem-se no Senhor Jesus Cristo e adorarem-No, à medida que a sua mente é renovada pelas Escrituras e elas buscam assumir sua responsabilidade piedosamente. O poder de Deus é impressionante; Ele pode e faz as pessoas mudarem, para a glória dEle. Pela graça de Deus, tanto Wendy quanto Bob e, talvez, você também (se está lutando com uma ligação emocional idólatra), podem ser como os cristãos de Corinto, sobre os quais foi escrito: "Tais *fostes* alguns de vós..." (1 Coríntios 6.11).

Questões para Estudo

1. Como são definidas, neste capítulo, as ligações emocionais idólatras?
2. Quais são algumas desculpas que as pessoas usam para continuar em relacionamentos idólatras?
3. Como alguém é atraído a um relacionamento idólatra?
4. De acordo com Romanos 13.14 e Gálatas 5.16, como superamos nossos desejos pecaminosos?
5. Como é possível mudar, deixando de ser impura, homossexual ou adúltera? (veja 1 Coríntios 6.11)
6. Corrija os seguintes pensamentos errados:
    a) Não consigo viver sem ele.
    b) Ninguém jamais me amará tanto quanto esta pessoa.
    c) Não suporto viver sozinha.

7. Por que o pecado sexual é tão errado? (veja 1 Coríntios 6.18-20)

8. Faça a correspondência das frases com as referências bíblicas:

   Deus dá graça aos humildes.   Hebreus 5.14

   Os cristãos devem ajudar uns   Hebreus 4.12
   aos outros a levar seus fardos.

   Deveríamos ser como o salmista   Tiago 4.6
   que guardou no coração a Palavra
   de Deus.

   Devemos estudar as Escrituras a   Salmos 119.11
   fim de que possamos discernir o
   bem e o mal.

   As Escrituras julgam nossos pen-   Gálatas 6.1-2
   samentos e propósitos.

9. Escreva um exemplo do que você diria ao confrontar alguém com o pecado de um relacionamento idólatra. (Dica: Qual deveria ser sua motivação?)

10. É realmente necessário estabelecer limites (veja 1 Coríntios 15.33; 5.11; Romanos 13.14)?

11. Em vez de tentar satisfazer a ligação sensual que uma pessoa tem com você, que tipo de ajuda você deveria oferecer?

12. Quais ações são necessárias, se uma das pessoas ameaça se machucar?

13. Em vez de deleitar-se num relacionamento pecaminoso, em quem nos deveríamos deleitar? Leia alguns dos salmos e aliste exemplos de um salmista deleitando-se em Deus.

4
Devo responder como?
MANIPULAÇÃO

EU CRESCI SEM IRMÃOS – muito egoísta e muito mimada. Quando criança, tinha uma vida dupla. Uma de minhas vidas era ser uma menina boazinha na escola (principalmente porque sabia que o professor levava as crianças más ao diretor para apanharem), e a outra vida era, em casa, como uma filha mimada, facilmente irada e muito ingrata. Meus pais nunca me disciplinavam, e cedo em minha vida (minha mãe disse que começou quando eu era um bebê) aprendi que, se eu persistisse o suficiente, meus pais desistiriam. Como se não fosse ruim o bastante ter uma mãe e um pai que me estragavam com mimos, tinha uma tia e um tio que não tinham filhos, e eles eram como meus segundos pais. Meus amigos gostavam de vir a minha casa porque eu tinha muitos brinquedos e a maior pilha de revistinhas em quadrinhos que eles já tinham visto!

Eu era muito habilidosa em manipular meus pais: desde bebê, com dez meses, agarrava-me às laterais do berço e gritava em fúria por não querer ser colocada lá, ou como uma adolescente, implorando aos meus pais que me deixassem ir a algum lugar ao qual eu sabia que não deveria ir. Na verdade, eu era uma especialista! Ou seja, uma especialista em pecar. Usava meios pecaminosos para tentar fazer as coisas como eu queria, e se não conseguia fazer o que eu queria, pelo menos poderia tornar infelizes todos ao meu redor. Seria tentador colocar a culpa do meu comportamento (o qual continuou até a idade adulta e afetou outros relacionamentos) em meus pais e em minha tia e em meu tio, mas as Escrituras são claras:

Mas dizeis: Por que não leva o filho a iniquidade do pai? Porque o filho fez o que era reto e justo, e guardou todos os meus estatutos, e os praticou, por isso, certamente, viverá. A alma que pecar, essa morrerá; o filho não levará a iniquidade do pai, nem o pai, a iniquidade do filho; a justiça do justo ficará sobre ele, e a perversidade do perverso cairá sobre este (Ezequiel 18.19-20).

Desde que me salvou, Deus, em sua misericórdia, tem me convencido de minha manipulação pecaminosa, e consegui pedir perdão aos meus pais, à minha tia, ao meu tio e a outras pessoas, e eles me perdoaram. O que eu fazia é o que muitas pessoas fazem: usar meios pecaminosos para tentar conseguir as coisas desejadas (e se eu não conseguia fazer o que desejava, pelo menos poderia perturbar a pessoa que ficava em meu caminho). Por ser a manipulação um problema tão comum, iniciaremos com uma definição de manipulação e daremos exemplos a respeito de como a manipulação acontece. Depois, observaremos como abandoná-la e como amar os outros. Por último, analisaremos como responder de uma maneira que honre a Deus quando outros estão tentando nos manipular.

O QUE É MANIPULAÇÃO PECAMINOSA?

Manipulação pecaminosa é *usar palavras antibíblicas e/ou o seu semblante para intimidar uma pessoa a deixar você fazer o que quer*. O tempo todo você sabe que se não conseguir o que quer, pelo menos pode, *no processo*, punir a outra pessoa. A manipulação pecaminosa geralmente se intensifica à medida que o manipulador pressiona mais para conseguir o que deseja. Considere algumas táticas usadas com frequência na manipulação, ao estudar a ilustração 4.1

SE VOCÊ FOR CULPADO

Você sabe que é culpado de manipulação quando não aceita de modo agradável um "não" como resposta, e continua tentando convencer a outra pessoa a fazer as coisas como você quer.

Ilustração 4.1 – Táticas de manipulação

Manobras de manipulação	Exemplo do esposo e da esposa
1. Bajulação	"Meu bem, você é o melhor esposo do mundo e eu o amo e gostaria que você soubesse que preciso de um descanso. Haveria algum problema se eu ficasse uma semana na praia com minhas amigas e você cuidasse das crianças?" (Não há nada de errado em pedir, e se o motivo da esposa é puro, ela aceitará de modo agradável um "não" como resposta. Se o motivo dela é pecaminoso, ela prosseguirá para uma outra manobra.)
2. Súplica	"*Por favor, por favor*, deixe-me ir. Prometo que demorarei bastante para pedir novamente. *Por favor, diga sim!*"
3. Choro	Lágrimas brotam em seus olhos. "Estou tão decepcionada. Fico magoada com o fato de você não querer que eu vá."
4. Ira	Em um tom de voz irado: "Isso me deixa tão #*#!&#*# furiosa! Eu quero ir!"
5. Indiferença	Ela pensa: "*Vou mostrar a ele*", e não fala com ele de jeito nenhum, ou fala com um tom ríspido, frio.
6. Acusações	"Você não me ama." "Você só se preocupa consigo mesmo!" "Pensei que você se importasse comigo." "Você não é justo. Você vai para o trabalho todo dia e eu fico presa em casa com as crianças. Elas estão me deixando louca."
7. Ameaças	"Se você não me deixar ir, irei de qualquer jeito e contratarei uma babá." "Não sei o que sou capaz de fazer se você não me deixar ir." "Deixarei você e posso ou não voltar." "Se eu sair, vou embora, e você nunca mais verá seus filhos de novo." "Vou me divorciar de você." "Vou me matar."

Manobras de manipulação	Exemplo da mãe e da filha adulta
1. Bajulação	A mãe para a filha: "Estou tão orgulhosa de você e de como você cuida de sua família. Gostaria de falar com você sobre algo. Querida, você sabe que meu divórcio foi culpa de seu pai. Ele não mudou, e não quero que deixe que seus filhos o vejam".
2. Súplica	"*Por favor*, não o visite. Acho que não suportaria, se soubesse que você o visita."
3. Choro	"Isso realmente me machuca e me deixa chateada. Por favor, não vá."
4. Ira	"Isso me deixa tão irritada. Não é certo o que você está fazendo. Você tem de parar."
5. Indiferença	Fala com a filha, mas com poucas palavras, desinteressada e obviamente punindo-a, enquanto fala com outros de maneira afetuosa e agradável.
6. Acusações	"Você não é a filha que pensei que fosse." "Como você poderia se relacionar com ele depois de tudo o que ele me fez?" "Pensei que você me amasse e se importasse comigo." "Você foi a única pessoa do mundo que me entendeu e que se preocupou comigo durante o divórcio". "Como você pode fazer isso comigo depois de tudo que fiz por você?"
7. Ameaças	"Se você for visitar seu pai, nunca mais verei você." "Você está arruinando minha vida, e não sei o que sou capaz de fazer."

Manobras de manipulação	Mãe e filho adolescente
1. Bajulação	"Mãe, você é a melhor, mesmo dentre todas as mães dos meus amigos! Posso pegar o carro emprestado hoje à noite para ir ao cinema com meus amigos?"
2. Súplica	"Mãe, *por favor*, deixe-me ir. Todos os meus amigos podem ir, e sou o único que pode dirigir. Se eu não for, eles também não poderão ir. *Por favor*!"
3. Choro	"Mãe, deixa eu pegar o carro. Prometo que vou ser cuidadoso." (Lágrimas nos olhos.)
4. Ira	"Por que a senhora não me deixa ir?" (Sai pisando duro e entra no quarto batendo a porta. A mãe escuta-o atirando coisas para todos os lados.)
5. Indiferença	Recusa-se a falar com a mãe, mas lança-lhe um olhar frio quando ela tenta falar com ele.
6. Acusações	"A senhora não é justa!" "Pensei que pudesse depender da senhora." "A senhora não me ama." "A senhora está sendo egoísta." "A senhora está fazendo isso de propósito para me envergonhar na frente de meus amigos."
7. Ameaças	"Odeio a senhora. Mal posso esperar para afastar-me da senhora." "Vou embora daqui, e a senhora nunca mais me verá." "Eu vou de qualquer jeito, não importa o que a senhora diga."

Certamente pode haver momentos quando é apropriado fazer um apelo, mas se a resposta ainda for "não", então você deve vê-la como a vontade de Deus para você, no momento. Pense sobre os seguintes versos:

Não sejas sábio aos teus próprios olhos; teme ao SENHOR e aparta-te do mal (Provérbios 3.7).

Desvia de ti a falsidade da boca e afasta de ti a perversidade dos lábios (Provérbios 4.24).

Alguém há cuja tagarelice é como pontas de espada, mas a língua dos sábios é medicina (Provérbios 12.18).

O coração do justo medita o que há de responder, mas a boca dos perversos transborda maldades (Provérbios 15.28).

A língua falsa aborrece a quem feriu, e a boca lisonjeira é causa de ruína (Provérbios 26.28).

Tudo quanto, pois, quereis que os homens vos façam, assim fazei-o vós também a eles; porque esta é a Lei e os Profetas (Mateus 7.12).

[O amor] não se conduz inconvenientemente, não procura os seus interesses, não se exaspera... (1 Coríntios 13.5).

Fazei tudo sem murmurações nem contendas, para que vos torneis irrepreensíveis e sinceros, filhos de Deus inculpáveis no meio de uma geração pervertida e corrupta, na qual resplandeceis como luzeiros no mundo (Filipenses 2.14-15).

Em tudo, dai graças, porque esta é a vontade de Deus em Cristo Jesus para convosco (1 Tessalonicenses 5.18).

Usar meios antibíblicos como ira ou adulação para tentar conseguir o que quer é ruim. O mais provável é que se você é culpada disso, possivelmente tem essa culpa há muito tempo, talvez desde quando era criança. Bem, agora é a hora de crescer, amadurecer no Senhor e parar. Perceba que não há nada de errado em pedir que sua filha adulta não visite seu pai, ou pedir que seu esposo deixe você fazer uma viagem de uma semana com suas amigas. Também não é errado um adolescente pedir o carro emprestado, *mas é controle pecaminoso não ser agradecido quando um "não" é a resposta*. Antes mesmo de você pedir, planeje o que pensará e dirá, se a resposta for "não", e veja essa resposta como a vontade de Deus para você naquele momento. Agradeça ao Senhor e não murmure ou reclame. Peça perdão a Deus por transgressões passadas, e peça perdão às pessoas a quem você ofendeu. Além disso, peça-lhes que cobrem explicações de você, a fim de tentar impedi-la, caso você esteja procurando controlá-las outra vez. Se elas realmente chamarem atenção para isso, não contra-ataque, mas peça a Deus para ajudá-la a ver o que você está fazendo de errado e peça à pessoa que a confronta, que a ajude a compreender a situação. Deus ajudará você, pois sempre dá graça aos humildes (veja Tiago 4.6).

SE A OUTRA PESSOA FOR CULPADA

Se alguém está usando meios antibíblicos para tentar manipular você (o mundo geralmente chama isso de "abuso verbal"), então você deve falar para essa pessoa a verdade em amor. Então, quer seja sua filha adulta, seu filho adolescente, seu esposo ou sua amiga, eles estão pecando e agindo como insensatos. Um insensato não aceita um "não" como resposta, pois "o insensato não tem prazer no entendimento, senão em externar o seu interior" (Provérbios 18.2). Assim, recomendo que você siga o conselho em Provérbios 26.4-5 como uma informação prática a respeito de como lidar com esse tipo de situação:[1]

> Não respondas ao insensato segundo a sua estultícia, para que não te faças semelhante a ele (Provérbios 26.4).

Uma resposta insensata será com ira ou para defender-se até o fim. Os insensatos contra-atacam com suas próprias acusações, ameaças ou súplicas. Contudo, tão tentador quanto isso possa ser, esta atitude trata-se de pagar o mal com o mal e, então, em vez de apenas um insensato usando manipulação pecaminosa, passam a ser dois!

Então, você deve aprender a responder ao insensato como merece a sua estultícia, "para que não seja ele sábio aos seus próprios olhos" (Provérbios 26.5).

Em outras palavras, dê ao insensato uma resposta que o convencerá de sua responsabilidade diante de Deus. Ele pode não se arrepender, mas, pelo menos, terá escutado claramente a respeito de sua responsabilidade diante de Deus. Geralmente a manipulação para, mas ainda que ela não pare, em vez de dois, haverá apenas um insensato desafiando a Deus. Além disso, a pessoa que responde com justiça, sofrerá por causa dela e honrará a Deus. Para alguns exemplos, consideremos de novo a ilustração 4.1, desta vez adicionando uma terceira coluna: Respondendo ao insensato como merece a sua estultícia (Provérbios 26.5).

Sempre que uma pessoa usa meios antibíblicos para tentar alcançar seus objetivos, ela está pecando. Quando alguém está manipulando você, é provável que você tenha emoções desagradáveis – medo, confusão, frustração ou culpa. Então, suas emoções tornarão mais difícil você responder sem pecar (defendendo a si mesma, explodindo em fúria, cedendo pecaminosamente). Portanto, é importante o esforço diligente para aprender a responder com sabedoria (dando aos insensatos a resposta que eles merecem).

Se, durante a conversa, você ficar confusa em algum momento, diga: "Preciso pensar a respeito do que quero dizer. Eu voltarei". Então, vá a algum lugar e anote a conversa: "Eu disse...", "Ele disse...", "Eu disse...", "Ele disse...". Uma vez escrita a conversa, repasse-a ponto a ponto e certifique-se de que você não está respondendo como uma insensata e de que você está dando ao insensato uma resposta que não o fará ser sábio aos seus próprios olhos. Então, volte e diga: "Lembra quando eu disse...? Não é isso que eu deveria ter dito; *isto* é o que eu deveria ter dito..." Quanto mais você se esforçar para pensar efetiva e biblicamente, em vez de responder emocionalmente, melhor demonstrará amor por outras pessoas, tentando ajudá-las a ver sua responsabilidade.

Ilustração 4.2 – Respondendo ao insensato como merece a sua estultícia

Manobras de manipulação	Exemplo do esposo e da esposa	Como merece a sua estultícia
1. Bajulação	"Meu bem, você é o melhor esposo do mundo e eu o amo e gostaria que você soubesse que preciso de um descanso. Haveria algum problema se eu ficasse uma semana na praia com minhas amigas e você cuidasse das crianças?"	O esposo diz: "Querida, eu gostaria que você fosse, mas esta semana, no trabalho, será muito difícil para mim e eu preciso de você em casa. Talvez, depois, possamos pensar num passeio mais curto."
2. Súplica	"*Por favor, por favor*, deixe-me ir. Prometo que demorarei bastante para pedir novamente. *Por favor, diga sim!*"	O esposo diz: "Querida, eu gostaria de poder dizer 'sim', mas meu trabalho para sustentar esta família vem em primeiro lugar. (veja 1 Coríntios 11.3)
3. Choro	Lágrimas brotam em seus olhos. "Estou tão decepcionada. Fico magoada com o fato de você não querer que eu vá."	O esposo diz: "Querida, é sua responsabilidade aceitar de forma agradável um "não" como resposta, permanecer em casa e não ficar ressentida". (veja Tito 2.4-5)
4. Ira	Em um tom de voz irado: "Isso me deixa tão #!*# furiosa! Eu quero ir!"	O esposo diz com calma, mas claramente: "É compreensível que você esteja decepcionada, mas não é certo ficar decepcionada e pecar. Sua responsabilidade é colocar sua família em primeiro lugar." (veja Colossenses 3.8)

5. Indiferença	Ela pensa: "*Vou mostrar a ele*", e não fala com ele de jeito nenhum, ou fala com um tom ríspido, frio.	O esposo diz: "Querida, você está sendo rude e maldosa quando age assim. Como cristã, sua responsabilidade é ser benigna, compassiva e perdoadora." (veja Efésios 4.32)
6. Acusações	"Você não me ama." "Você só se preocupa consigo mesmo!" "Pensei que você se importasse comigo." "Você não é justo. Você vai para o trabalho todo dia e eu fico presa em casa com as crianças. Elas estão me deixando louca."	O esposo diz: "Querida, você está usando acusações pecaminosas para tentar conseguir o que quer. Em vez disso, você deveria estar pensando: 'Como posso tornar esta semana o mais fácil possível para meu esposo? A esposa foi criada 'por causa do homem'. Então, as responsabilidades de meu esposo no trabalho são mais importantes do que estas minhas férias'". (veja 1 Coríntios 11.8-9)
7. Ameaças	"Se você não me deixar ir, irei de qualquer jeito e contratarei uma babá." "Não sei o que sou capaz de fazer, se você não me deixar ir." "Deixarei você e posso ou não voltar." "Se eu sair, vou embora, e você nunca mais verá seus filhos de novo." "Vou me divorciar de você." "Vou me matar."	O esposo diz: "Querida, se você fizer isso, estará pecando, e será difícil para mim e para as crianças, mas Deus nos dará graça para superarmos." (veja 1 Coríntios 10.13)

Manobras de manipulação	Exemplo da mãe e da filha adulta	Como merece a sua estultícia
1. Bajulação	A mãe para a filha: "Estou tão orgulhosa de você e de como você cuida de sua família. Gostaria de falar com você sobre algo. Querida, você sabe que meu divórcio foi culpa de seu pai. Ele não mudou, e não quero que deixe que seus filhos o vejam".	A filha diz: "Mamãe, sei que papai abandonou nossa família e que amou o seu pecado mais do que a família, mas decidimos visitá-lo para abençoá-lo e compartilhar o evangelho com ele." (veja 1 Pedro 3.9, 15)
2. Súplica	"*Por favor*, não o visite. Acho que não suportaria, se soubesse que você o visita."	A filha diz: "Mamãe, sei que pode ser difícil, mas Deus lhe dará graça para suportar isso." (veja 1 Coríntios 10.13)
3. Choro	"Isso realmente me machuca e me deixa chateada. Por favor, não vá."	A filha diz: "Mamãe, sua responsabilidade é dar-nos liberdade no Senhor para falar com papai e alegrar-se por ele, por podermos visitá-lo. Se ele não chegar a conhecer o Senhor, sua alegria terrena será tudo o que ele tem." (veja Tiago 3.17-18)
4. Ira	"Isso me deixa tão irritada. Não é certo o que você está fazendo. Você tem de parar."	A filha diz: "Na verdade, esta é a coisa certa a fazer. Mamãe, a senhora está usando de ira para tentar me manipular, a fim de continuar a punir papai pelo que ele fez. Em vez disso, a senhora deveria orar pela salvação dele, ter misericórdia dele e ser grata por estarmos indo vê-lo." (veja Mateus 5.7)

5. Indiferença	Fala com a filha, mas com poucas palavras, desinteressada e obviamente punindo-a, enquanto fala com outros de maneira afetuosa e agradável.	"Mamãe, a senhora está sendo rude e indelicada para tentar conseguir o que quer. Isso não está certo. Em vez de tratar-me com indiferença, e de estar tão centrada em si mesma, a senhora deveria estar mais preocupada com os meus sentimentos e com a salvação de papai." (veja Colossenses 3.12-14)
6. Acusações	"Você não é a filha que pensei que fosse." "Como você poderia se relacionar com ele depois de tudo o que ele me fez?" "Pensei que você me amasse e se importasse comigo." "Você foi a única pessoa do mundo que me entendeu e que se preocupou comigo durante o divórcio". "Como você pode fazer isso comigo depois de tudo que fiz por você?"	"Mamãe, escute o que a senhora está dizendo. Sua responsabilidade é dar-me graciosamente a liberdade de visitar papai, e também deveria orar pela salvação dele. Sei que ele, de certo modo, é seu inimigo, mas o Senhor Jesus disse para amarmos os nossos inimigos. O que a senhora está fazendo é pecado, e a senhora deve arrepender-se e honrar a Deus." (veja Mateus 5.43-48)
7. Ameaças	"Se você for visitar seu pai, nunca mais verei você." "Você está arruinando minha vida, e não sei o que sou capaz de fazer."	"Se a senhora nunca me vir novamente, e se a sua vida for arruinada, será uma consequência de seu próprio pecado. Isso seria especialmente difícil para mim, mas se a senhora continuar com suas ameaças, Deus me dará a graça de passar por isso." (veja 1 Coríntios 10.13)

Manobras de manipulação	Mãe e filho adolescente	Como merece a sua estultícia
1. Bajulação	"Mãe, você é a melhor, mesmo dentre todas as mães dos meus amigos! Posso pegar o carro emprestado hoje à noite para ir ao cinema com meus amigos?"	"Não, filho, me desculpe, mas acho que será melhor se você ficar em casa hoje à noite e descansar para a escola amanhã."
2. Súplica	"Mãe, *por favor*, deixe-me ir. Todos os meus amigos podem ir, e sou o único que pode dirigir. Se eu não for, eles também não poderão ir. *Por favor!*"	"Filho, me desculpe, mas esta é uma questão de sabedoria e não acho isso sábio. Então, você precisa parar de implorar. Como você deveria ter respondido quando eu disse 'não'?" (veja Efésios 6.1-2)
3. Choro	"Mãe, deixa eu pegar o carro. Prometo que vou ser cuidadoso." (Lágrimas nos olhos.)	"Filho, sua responsabilidade é, de modo agradável, aceitar um 'não' como resposta e arrepender-se por exigir que as coisas sejam do seu jeito." (veja Provérbios 18.2)
4. Ira	"Por que a senhora não me deixa ir?" (Sai pisando duro e entra no quarto batendo a porta. A mãe escuta-o atirando coisas para todos os lados.)	"Filho, você está usando ira para tentar conseguir as coisas como você quer e para punir-me. Em vez disso, você deveria mostrar amor por Deus, honrando a decisão de sua mãe; e deveria ser grato a Deus e a mim por poder usar o carro ocasionalmente." (veja Mateus 22.36-39)

5. Indiferença	Recusa-se a falar com a mãe, mas lança-lhe um olhar frio quando ela tenta falar com ele.	"Filho, você ainda está usando meios antibíblicos para manipular-me a fim de conseguir o que quer. Isso não é certo. O que você está fazendo é pecado e você deve parar." (veja Efésios 6.2)
6. Acusações	"A senhora não é justa!" "Pensei que pudesse depender da senhora." "A senhora não me ama." "A senhora está sendo egoísta." "A senhora está fazendo isso de propósito para me envergonhar na frente de meus amigos."	"Filho, você está agindo como um tolo. Você diz ser um cristão e, se for, deveria ver minha decisão como a vontade de Deus para você. Sua responsabilidade é honrar o que eu digo do modo agradável e com gratidão." (veja Colossenses 3.17)
7. Ameaças	"Odeio a senhora. Mal posso esperar para afastar-me da senhora." "Vou embora daqui, e a senhora nunca mais me verá." "Eu vou de qualquer jeito, não importa o que a senhora diga."	"Você está sendo muito maldoso. Se você fizer essas coisas será difícil para mim, mas Deus me dará graça para suportar, e você enfrentará as consequências de seu pecado." (veja Provérbios 18.7)

TUDO DEVE SER DITO E FEITO EM AMOR

Quando você estiver numa batalha verbal com um brigão, lembre-se que "a ira do homem não produz a justiça de Deus" (Tiago 1.20). Se você estivesse agindo como uma tola, pense na maneira como você gostaria que alguém a reprovasse. Fale num tom de voz amável, gentil, porque "o amor é paciente, é benigno" (1 Coríntios 13.4). Peça ao Senhor que a ajude e, se for necessário, peça licença para retirar-se e orar e praticar em voz alta o que você quer dizer. Tenha como seu principal desejo ser como o Senhor Jesus Cristo, que nunca falou em orgulhosa defesa de Si mesmo, de maneira pecaminosa, com tolices ou ira desenfreada. Ele sempre mostrou perfeitamente o amor por Deus e por outros, mesmo quando (e especialmente quando) estavam pecando. "Nada façais por partidarismo ou vanglória, mas por humildade, considerando cada um os outros superiores a si mesmo" (Filipenses 2.3). Então, aprenda a falar a verdade em amor e tenha certeza de que, independentemente do quanto o manipulador peca, você pode manter "boa consciência, de modo que, naquilo em que falam contra vós outros, fiquem envergonhados os que difamam o vosso bom procedimento em Cristo, porque, se for da vontade de Deus, é melhor que sofrais por praticardes o que é bom do que praticando o mal" (1 Pedro 3.16-17).

Conclusão

Manipulação pecaminosa é usar palavras e/ou o semblante para intimidar ou persuadir uma pessoa a deixar você fazer o que quer. Se você não conseguir o que quer, pelo menos pode, no processo, punir a outra pessoa. Isso é pecado, mas, pela graça de Deus, pode ser superado. Quer o culpado de manipulação seja você ou outra pessoa, isso é errado e mostra falta de amor por Deus e por outra pessoa. Se você for a culpada, peça perdão a Deus e aos outros e procure prestar contas ao ofendido. Ouça humildemente a reprovação e aprenda com ela. Se a outra pessoa for a culpada, faça um esforço diligente para compreender e não responder como uma insensata mas, em vez disso, dar ao tolo a resposta que ele merece. Não seja como a criança chata, irada, egoísta e mimada que eu era. Receba as respostas negativas como a vontade de Deus para você naquele momento, e honre graciosamente a Deus.

Questões para Estudo

1. Como é definida, neste capítulo, a manipulação pecaminosa?

2. Aliste as sete manobras de manipulação típicas em sua ordem usual. Pense num exemplo de cada uma ou adapte um dos exemplos neste capítulo.

3. Como você pode saber se é culpada de manipulação?

4. Em vez de responder pecaminosamente, como você (ou outra pessoa) deveria responder? Aliste várias passagens bíblicas.

5. De acordo com Provérbios 18.2, quando uma pessoa não aceita um "não" como resposta, ela está agindo como quem?

6. Quais são algumas maneiras tolas com as quais você pode responder a um insensato? (veja Provérbios 26.4)

7. Que tipo de resposta você deveria dar a um tolo? (veja Provérbios 26.5)

8. A partir do exemplo a seguir, escreva a parte: "Como merece a sua estultícia".

Manobras de manipulação	Duas amigas adultas	Como merece a sua estultícia
1. Bajulação	Jan diz: "Sue, eu gostaria que você fizesse compras comigo, no próximo sábado. Seria divertido e poderíamos convidar Júlia para nos encontrar e almoçar conosco."	Sue diz: "Parece divertido, mas prometi a meu esposo que ficaria em casa e colocaria em dia as minhas tarefas. Talvez uma próxima vez."
2. Súplica	"Sue, por favor, vamos. Não será divertido se você não for. Tenho certeza que seu esposo gostaria que você fizesse uma pausa em seu trabalho doméstico."	

3. Choro	"Estou tão decepcionada. Você não quer ir e isto machuca meus sentimentos." (Lágrimas nos olhos.)
4. Ira	"Bem, talvez na próxima vez!" (Num tom de voz áspero, sarcástico.)
5. Indiferença	Sue liga para Jan no dia seguinte, e Jan está apática, desinteressada e brusca em suas respostas.
6. Acusações	Jan diz: "Pensei que você fosse minha amiga. Depois de tudo que fiz por você, me parece que você poderia fazer este favor tão pequeno. Você está deixando seu marido intimidar você."
7. Ameaças	"Bem, acho que terei de arranjar uma nova amiga. A notícia de que você me magoou vai se espalhar na igreja. Que cristã você é!"

9. O que você deveria fazer, em qualquer momento, durante a conversa, se ficasse confusa?

5 Que diferença faz a intenção dele?

SENTIMENTOS FERIDOS

QUANDO EU ERA CRIANÇA, não lembro de meus pais dizendo: "Isso fere meus sentimentos!" Lembro que eles me diziam: "Você está sendo egoísta" ou "Isto não é certo". Visto que eles nunca falaram de seus sentimentos sendo feridos, imagino que nunca aprendi a pensar em termos de *meus sentimentos sendo feridos*. Contudo, desde que me tornei adulta, passo por ocasiões quando alguém diz ou faz algo que me leva a pensar: *Meus sentimentos estão feridos*! Além disso, desde que me tornei uma conselheira bíblica, tenho aconselhado muitas mulheres que me dizem como seus sentimentos têm sido feridos e, na maioria das vezes, compreendo por quê. Consideremos os seguintes exemplos:

- "Como ele pôde mentir sobre mim daquele jeito? Isso feriu meus sentimentos."
- "Ela não me deixava ajudá-la. Isso feriu meus sentimentos."
- "Ele me envergonhou deliberadamente na frente de meus amigos. Isso feriu meus sentimentos."
- "Minha professora da escola dominical pediu-me para orar. Ela deveria saber que isso me deixa desconfortável. Isso feriu meus sentimentos."
- "Por que minhas amigas não me convidaram para ir a lanchonete? Isso feriu meus sentimentos."
- "A senhora que me apresentou, pronunciou meu nome errado. Todos riram baixinho. Isso feriu meus sentimentos."

- "Eu jamais a trataria como fui tratada. Isso feriu meus sentimentos."
- "Ele ficou chateado quando eu simplesmente fiz uma pergunta. Isso feriu meus sentimentos."
- "A comissão nunca parece gostar de minhas ideias. Não volto mais lá. Eles feriram meus sentimentos."
- "Ele disse que estava brincando comigo, mas me senti desconfortável. Meus sentimentos estão feridos."
- "Quem ele pensa que é para me dizer que estou errada? Ele não é tão perfeito assim! Ele feriu meus sentimentos."
- "Meu pai bebia e negligenciava nossa família. Ele me rejeitou e meus sentimentos estão feridos."
- "Meu esposo deixou-me por outra mulher. Isso feriu meus sentimentos."
- "Os presbíteros não gostaram de minha sugestão sobre a ordem do culto na igreja. Gostaria de nunca haver sugerido. Eles feriram meus sentimentos."

Por esses exemplos podemos ver que há várias formas de uma pessoa ter seus sentimentos feridos. O propósito deste capítulo é considerar o que *são* sentimentos feridos, o que *causa* sentimentos feridos, e o que a Bíblia nos *ensina* a respeito de como superar sentimentos feridos. Comecemos definindo sentimentos feridos.

O QUE, EXATAMENTE, SÃO SENTIMENTOS FERIDOS?

Sentimentos são emoções, e emoções ocorrem depois que pensamos em algo. Por exemplo, se eu pensar: *Sei que este avião vai cair!*, então, me sentirei inquieta. Se eu pensar: *Não consigo acreditar que ele fez isso comigo. Isso me deixa tão chateada!*, ficarei frustrada. Se eu pensar: *Ele fez isso deliberadamente para que eu parecesse uma tola;* ficarei magoada.

O dicionário *Webster's* define a dor emocional como "aflição ou angústia mental".[1] A dor emocional que experimentamos quando nossos sentimentos são feridos pode variar em intensidade, de leve a esmagadora. A dor dos sentimentos feridos pode ser tão grande a ponto de você não conseguir dormir por causa do pensamento acerca de como a outra pessoa machucou você. A dor de sentimentos feridos pode ser tão grande a ponto de retornar, mesmo depois de cinquenta anos, quando você lembra da mágoa há muito tempo ocasionada. Esse tipo de dor emocional pode deixar-nos incapacitadas ou, pelo menos, muito desestabilizadas e aborrecidas. Para entender realmente o que são sentimentos feridos e o que fazer sobre eles, precisamos considerar o que as Escrituras nos ensinam. Comecemos com a palavra *dor*.

Quando pesquisamos na Bíblia situações em que pessoas são feridas, encontramos várias referências. Algumas dizem respeito a ferimentos físicos e algumas a danos emocionais. Para os propósitos deste estudo, analisaremos duas referências que reportam-se à dor emocional.

> Os mortos à espada cairão no meio de vós, para que saibais que eu sou o SENHOR. Mas deixarei um resto, porquanto alguns de vós escapareis da espada entre as nações, quando fordes espalhados pelas terras. Então, se lembrarão de mim os que dentre vós escaparem entre as nações para onde foram levados em cativeiro; pois me quebrantei por causa do seu coração dissoluto, que se desviou de mim, e por causa dos seus olhos, que se prostituíram após os seus ídolos. Eles terão nojo de si mesmos, por causa dos males que fizeram em todas as suas abominações (Ezequiel 6.7-9).

Houve tempos quando os filhos de Israel, apesar de toda a revelação que tinham de Deus, deixaram de adorá-Lo para adorar ídolos. No Antigo Testamento, Deus faz referência a Si mesmo como o esposo da nação de Israel. Então, como uma esposa infiel pecando contra seu esposo, Israel cometeu adultério (espiritual). Isso, é claro, feriu Deus. Aqui, a palavra hebraica para *quebrantar* significa "desgraça, humilhação, vergonha ou opróbrio".[2] A idolatria do povo era um opróbrio vergonhoso, doloroso a respeito de Deus, especialmente depois de tudo que Ele havia feito por eles.

No Novo Testamento vemos um tipo diferente de dor. "Se, por causa de comida, o teu irmão se *entristece*, já não andas segundo o amor fraternal. Por causa da tua comida, não faças perecer aquele a favor de quem Cristo morreu" (Romanos 14.15).

Nessa passagem, a palavra grega para *entristecer* significa "causar tristeza, aflição, ou ser transformado num indivíduo pesaroso".[3] Durante os primeiros dias da igreja neotestamentária, a idolatria era desmedida e um aspecto do culto a ídolos era sacrifícios de animais. Frequentemente, a carne sacrificada a esses ídolos era vendida no mercado público. Muitos dos novos cristãos haviam sido idólatras, então, para eles, só o pensar em comer carne que havia sido sacrificada a um ídolo era repugnante e considerado pecaminoso. Paulo explicou para eles, em Romanos 14, que sacrificar carne a um ídolo não a tornava impura. Contudo, pelo bem daqueles que pensavam que ela era impura (e que eram novos cristãos), os cristãos mais experientes deveriam abster-se de comer tal carne. Do contrário, eles causariam aos novos cristãos desnecessária aflição ou tristeza. Em outras palavras, isso os machucaria.

Vimos pelo menos uma maneira de machucar as pessoas e de machucar o próprio Deus também. Independentemente de a ação de machucar ter causado aflição, dano, humilhação ou vergonha, os exemplos bíblicos que temos analisado aconteceram por causa de pecado. Sofrimentos devido a pecado geralmente são intencionais, mas há outro tipo de sofrimento que não é intencional. Em outras palavras, não existe a intenção de ferir, mas a situação é interpretada como se houvesse tal intenção. Agora consideremos o que fazer com o sofrimento que nos causam, quer intencional ou não-intencional.

SUPERANDO SOFRIMENTOS CAUSADOS INTENCIONALMENTE

Sofrimentos causados intencionalmente são pecaminosos. Eles podem acontecer em forma de difamação, xingamentos, comentários e ações maliciosas ou ameaças cruéis. Qualquer que seja a forma, você pode superá-los apenas por meio de respostas justas e não acrescentando maldade. Vários princípios bíblicos básicos nos dão orientação prática a respeito desse assunto:

1. Mostre amor a Deus e à pessoa que está pecando contra você.

> Mestre, qual é o grande mandamento na Lei? Respondeu-lhe Jesus: AMARÁS O SENHOR, TEU DEUS, DE TODO O TEU CORAÇÃO, DE TODA A TUA ALMA E DE TODO O TEU ENTENDIMENTO. Este é o grande e primeiro mandamento. O segundo, semelhante a este, é: AMARÁS O TEU PRÓXIMO COMO A TI MESMO (Mateus 22.36-39; veja também 1 João 4.20-21).

A maneira de mostrar amor a Deus é obedecer a sua Palavra. Diferentemente do servo que não perdoou a pequena dívida de seu conservo, ainda que seu mestre houvesse perdoado uma grande dívida dele, devemos perdoar a pessoa que está pecando contra nós. Nosso pensamento inicial deveria ser: *Senhor, sabendo que cometi um pecado pior que este, e o Senhor perdoou-me, como posso ajudar esta pessoa? Ajuda-me a não permanecer na dor, mas honrar o Senhor.* Mesmo no pior caso, quando uma pessoa ataca você verbalmente ou fala de você pelas costas, você *pode* mostrar amor a Deus e a essa pessoa. Você mostra amor a Deus obedecendo sua Palavra, e mostra amor pela outra pessoa sendo bondosa, paciente e não repetindo em sua mente vez após vez o que ele ou ela fez. Como cristã, você será vindicada agora ou na eternidade, e pode agarrar-se à seguinte promessa: "Se, pelo nome de Cristo, sois injuriados, bem-aventurados sois, porque sobre vós repousa o Espírito da glória e de Deus" (1 Pedro 4.14).

2. Agradeça a Deus pela provação.

> Dando sempre graças por tudo a nosso Deus e Pai, em nome de nosso Senhor Jesus Cristo (Efésios 5.20).

Olhar a vida de uma perspectiva eterna será de grande ajuda. O que Deus está fazendo? O que Ele quer que eu aprenda com esta provação? As Escrituras mandam: "Em tudo, dai graças, porque esta é a vontade de Deus em Cristo Jesus para convosco" (1 Tessalonicenses 5.18). Certamente não é agradável quando pecam contra nós, mas deveria ser uma alegria para você o ser provada por Deus, porque você sabe que Ele está moldando seu caráter à semelhança de Cristo. Então, quando pensar no pecado de outra pessoa contra você, agradeça a Deus pelo que Ele está tentando ensinar-lhe.

3. Vença o mal com o bem.

> Não te deixes vencer do mal, mas vence o mal com o bem (Romanos 12.21).

No sistema interestadual de Atlanta há rampas de entrada que parecem levar a uma direção completamente oposta à qual você deseja ir. Você entra naquelas rampas pela fé nas placas, certamente, não por vista. Uma vez na rampa, você começa a ver o círculo de quase 360 graus que eventualmente a levará à direção que você quer. Superar o mal com o bem é como aquelas vias expressas. Nossa tendência natural é nos vingarmos do mal com mais coisas ruins. Se alguém está chateado conosco, nós o atacamos. Se forem mesquinhos conosco, somos mesquinhas com eles ou, pelo menos em nosso coração, pensamos em ser mesquinhas também. Entretanto, assim como a entrada na via expressa é pela fé, pagamos o mal com o bem pela fé. O mandamento de Deus é claro: "Não te deixes vencer do mal, mas vence o mal com o bem". Você não tem de sentir vontade de fazer isso, você não tem de desejar fazê-lo e a outra pessoa não tem de merecê-lo, mas você tem de responder em justiça.

4. Em vez de vingar-se, abençoe.

> Não pagando mal por mal ou injúria por injúria; antes, pelo contrário, bendizendo, pois para isto mesmo fostes chamados, a fim de receberdes bênção por herança (1 Pedro 3.9).

O apóstolo Pedro deixa claro que não devemos pagar mal por mal; antes, pelo contrário, abençoar. Pense sobre a pessoa que feriu você, pense em algo prático que você pode fazer por ela e que a abençoaria, então, faça isso. Se você não conseguir pensar em nada, peça a Deus para ajudá-la.

5. Ore por aqueles que a caluniam.

> Bendizei aos que vos maldizem, orai pelos que vos caluniam (Lucas 6.28).

No contexto do sermão do monte, quando o Senhor Jesus diz: "Orai pelos que vos caluniam", não acho que Ele estivesse querendo dizer para orarmos assim: "Senhor, faça chover fogo e enxofre sobre ela!", ou "mate-o!", ou "mostre-lhe a mesma dor!" Acho que Ele estava dizendo para você orar pelo bem-estar deles, pelo seu arrependimento e para que deem glória a Deus.

6. Fale a verdade em amor.

> Mas, seguindo a verdade em amor, cresçamos em tudo naquele que é a cabeça, Cristo (Efésios 4.15).

Falar a verdade em amor geralmente é difícil para nós por causa de nosso coração pecaminoso. Parece ser especialmente difícil quando estamos cansadas ou quando somos pegas de surpresa. Existem ocasiões quando é muito importante ser tardia para falar (Tiago 1.19). Talvez você até precise dizer: "Não tenho certeza a respeito de como devo responder-lhe, mas voltarei a falar sobre o assunto" (veja Provérbios 15.28). Então, ore a respeito, pense a respeito e *volte* a falar sobre o assunto. Falar a verdade em amor envolve não só dizer a verdade, mas também usar um tom de voz benigno porque "o amor é... benigno" (1 Coríntios 13.4).

7. Confronte amorosamente a pessoa que está pecando contra você.

> Irmãos, se alguém for surpreendido nalguma falta, vós, que sois espirituais, corrigi-o com espírito de brandura; e guarda-te para que não sejas também tentado (Gálatas 6.1).

De acordo com esse verso, *você* deve confrontar o pecado da outra pessoa com a motivação de restaurá-la a um relacionamento correto com Deus e com os outros. Faça isso com gentileza, exatamente como gostaria de ser confrontada, se estivesse fazendo algo errado. Nesta semana mesmo fiquei sabendo de alguém que pensa que repreensão é algo cruel. Essa pessoa crê que devemos simplesmente orar por alguém que está pecando e Deus cuidará disso. A repreensão não somente não é cruel (se feita em amor), mas também é uma marca de maturidade cristã, quando tentamos ajudar alguém que está em pecado. O amor "não se alegra com a injustiça, mas regozija-se com a verdade" (1 Coríntios 13.6). Você pode evitar uma confrontação porque está pensando: *Não vai adiantar. Ele apenas ficará mais chateado comigo.* Em vez disso, seu pensamento precisa mudar para: *Quer adiante ou não, obedecerei a Deus e mostrarei amor a esta pessoa, quer ela compreenda a repreensão corretamente ou não. Se ela reagir com orgulho e ira, será difícil para mim, mas Deus será glorificado e estarei sofrendo por fazer o que é certo.*

8. Se necessário, envolva outras testemunhas.

> Se teu irmão pecar [contra ti], vai argui-lo entre ti e ele só. Se ele te ouvir, ganhaste a teu irmão. Se, porém, não te ouvir, toma ainda contigo uma ou duas pessoas, para que, pelo depoimento de duas ou três testemunhas, toda palavra se estabeleça. E, se ele não os atender, dize-o à igreja; e, se recusar ouvir também a igreja, considera-o como gentio e publicano. Em verdade vos digo que tudo o que ligardes na terra terá sido ligado nos céus, e tudo o que desligardes na terra terá sido desligado nos céus (Mateus 18.15-18).

O Senhor Jesus deu-nos instruções claras sobre o que fazer quando um amigo crente está pecando. Primeiro, você o procura em particular. Se ele arrepender-se, este é o ponto final da questão. Se ele não se arrepender, você deve levar consigo duas ou mais testemunhas. Seja uma testemunha correta e sincera. Não exagere ou minimize a verdade. Simplesmente fale a verdade de maneira bondosa. Se, então, ele não se arrepender, leve o caso à igreja. Normalmente, isso significa que você conversa com os anciãos ou presbíteros (os líderes espirituais) e eles investigam o assunto e decidem se prosseguirão com a disciplina da igreja.[4]

Nosso Senhor suportou muito sofrimento devido ao pecado intencional dos outros. Também nós, em pequeno grau, participamos (como Paulo escreveu) da "comunhão dos seus sofrimentos" quando, pela graça dEle, respondemos de forma justa (veja Filipenses 3.10). Ele nos entende e nos ajudará. É um privilégio sofrer por amor ao Senhor, e ser usado para sua glória.

Agora que refletimos sobre como responder de maneira bíblica quando somos machucados intencionalmente, voltemos nossa atenção para sofrimentos que não são causados intencionalmente.

SUPERANDO SOFRIMENTOS QUE NÃO SÃO CAUSADOS INTENCIONALMENTE

Sofrimentos que não são causados intencionalmente são pecados das pessoas que interpretam determinadas situações como dolorosas. Em geral, a pessoa que interpreta algo como doloroso é excessivamente sensível, tímida, orgulhosa e egoísta. Seja qual for a forma que o pecado dela tende a assumir, ela deve dar aos outros uma resposta justa, humilde.

Em vez de ficarmos ofendidas e magoadas, devemos aprender a dar aos outros o benefício da dúvida. Em Filipenses 4.8, a Bíblia nos diz para termos pensamentos verdadeiros e amáveis. Pensamentos verdadeiros enfrentam a realidade. Pensamentos amáveis presumem o melhor sobre a outra pessoa a menos que seja provado o contrário. Portanto, a menos que fique *bem claro* que as coisas ditas ou feitas por outra pessoa tinham a intenção de machucar, você deve dar-lhe o benefício da dúvida. Quando você dá a alguém o benefício da dúvida, também mostra amor por essa pessoa, porque o amor "tudo crê" (1 Coríntios 13.7).

Não julgue a motivação das pessoas. Julgar a motivação dos outros e supor que eles tiveram a intenção de machucar provavelmente é a razão mais comum pela qual as pessoas são excessivamente sensíveis e pela qual se magoam com tanta facilidade. Desde que não possuímos compreensão onisciente (ainda que pensemos ser especialmente perceptivas), só nosso Senhor Jesus "manifestará os desígnios dos corações" de forma justa (1 Coríntios 4.5), e, até que isso aconteça, somos proibidas de fazê-lo.

Devemos estar prontas a nos sentir desconfortáveis a fim de ajudar os outros a se sentirem confortáveis. Nunca é agradável se sentir desconfortável, mas é uma marca de maturidade quando sua preocupação com os sentimentos de outra pessoa é maior do que a preocupação com seus próprios sentimentos. Paulo dá a seguinte instrução: "Nada façais por partidarismo ou vanglória, mas por humildade, considerando cada um os outros superiores a si mesmo" (Filipenses 2.3). Então, quando você estiver desconfortável, diga a si mesma: "Sinto-me desconfortável, mas mostrarei amor por ela. Se tiver de continuar sentindo-me desconfortável, terei de continuar assim".

Agora que explicamos alguns princípios bíblicos e práticos sobre como responder à dor emocional, visitemos novamente a lista no começo deste capítulo e vejamos como responder, dando glória a Deus e mostrando amor à outra pessoa em vez de pensar em termos de "meus sentimentos feridos" (veja a ilustração 5.1).

Ilustração 5.1 – Glorificando a Deus e mostrando amor

A Mágoa	Resposta Bíblica: Glorificando a Deus e mostrando amor
"Como ele pôde mentir sobre mim daquele jeito? Isso feriu meus sentimentos."	"O que ele disse não é verdade. Devo ir até ele (dando-lhe o benefício da dúvida), dizer-lhe o que ouvi e perguntar-lhe a respeito disso. Se ele ficar na defensiva, direi que deve parar de me difamar e, como um cristão, deve dar glória a Deus e arrepender-se. Se ele tiver uma explicação razoável, ou se tiver escutado uma informação ruim em algum outro lugar, pedirei que volte lá e resolva a situação. Depois, confiarei em Deus porque fiz tudo que eu deveria fazer."

"Ela não me deixava ajudá-la. Isso feriu meus sentimentos."	"Ofereci ajuda, e ela tem a liberdade, no Senhor, de não aceitar. Encontrarei outra coisa para fazer."
"Ele me envergonhou deliberadamente na frente de meus amigos. Isso feriu meus sentimentos."	"O que ele disse ou fez foi indelicado. Ele estava pecando. Falarei com ele mais tarde em particular sobre suas palavras indelicadas e o exortarei a ser amável e honrar a Deus com suas palavras."
"Minha professora da escola dominical pediu-me para orar. Ela deveria saber que isso me deixa desconfortável. Isso feriu meus sentimentos."	"Realmente não havia como minha professora da escola dominical saber que orar na frente de outros me deixa desconfortável. Orar foi bom para mim, do contrário, o Senhor não haveria permitido. Preciso praticar em casa a orar em voz alta e, então, em público, não parecerá tão embaraçoso."
"Por que minhas amigas não me convidaram para ir a lanchonete? Isso feriu meus sentimentos."	"Talvez elas tenham pensado que eu não conseguiria ir, ou talvez precisassem conversar sobre algo pessoal e que não tinha nada a ver comigo. Esperarei um pouco e farei um convite para que almocem comigo."
"A senhora que me apresentou, pronunciou meu nome errado. Todos riram baixinho. Isso feriu meus sentimentos."	"Qualquer um pode cometer um erro, e foi engraçado. Preciso deixar de ser tão orgulhosa. Em vez de me preocupar comigo mesma, deveria estar mais preocupada em deixá-la confortável."
"Eu jamais a trataria como fui tratada. Isso feriu meus sentimentos."	"Sou perfeitamente capaz de pecar ainda mais do que ela. Eu a abençoarei e tentarei ajudá-la."
"Ele ficou chateado quando eu simplesmente fiz uma pergunta. Isso feriu meus sentimentos."	"Ele pecou e não mostrou amor quando ficou irado. Senhor, em resposta, o que eu deveria dizer para convencê-lo a ser paciente, honrar o Senhor e mostrar amor pelos outros?"

"A comissão nunca parece gostar de minhas ideias. Não volto mais lá. Eles feriram meus sentimentos."	"Eles não têm de gostar das minhas ideias. Essas decisões devem ser tomadas pela maioria da comissão. Devo graciosamente suportar diferenças de opinião, percebendo que frequentemente há muitas formas de realizar uma tarefa."
"Ele disse que estava brincando comigo, mas me senti desconfortável. Meus sentimentos estão feridos."	"Perguntarei a minha amiga, que também estava lá, se ela pensa que estou sendo sensível demais (e, portanto, orgulhosa). Se ela acha que a provocação dele foi hostil, então eu o confrontarei com o seu pecado. Se ela acha que a provocação dele era benévola, pedirei a Deus que me torne humilde."
"Quem ele pensa que é para me dizer que estou errada? Ele não é tão perfeito assim! Ele feriu meus sentimentos."	"Ele pode estar certo. Preciso, pelo menos, considerar o que ele falou, dizer-lhe que pensarei a respeito e pedir ao Senhor que me mostre meu pecado."
"Meu pai bebia e negligenciava nossa família. Ele me rejeitou e meus sentimentos estão feridos."	"Meu pai era um alcoólatra e, de fato, negligenciou sua família. Entretanto, não importa quem fosse sua família porque ele não estava tentando machucar-me deliberadamente. Devo perdoá-lo, buscar oportunidades de falar com ele sobre o evangelho e oferecer-lhe a esperança que há em Cristo."
"Meu esposo deixou-me por outra mulher. Isso feriu meus sentimentos."	"O que ele fez foi perverso e errado, mas Deus é bom e tem um propósito nisto para mim. Orarei pela salvação de meu esposo e procurarei maneiras de honrar a Deus nesta grande provação."
"Os presbíteros não gostaram de minha sugestão sobre a ordem do culto na igreja. Gostaria de nunca haver sugerido. Eles feriram meus sentimentos."	"Não tem problema se eles não gostam de minha sugestão. Eles têm a autoridade de aceitar ou rejeitar minha ideia. Não é uma questão de pecado. Pelo menos eles não disseram que é uma ideia estúpida."

Conclusão

Quando as pessoas ferem seus sentimentos, pode ser que elas estejam tentando machucar você. Se esse for o caso, sua responsabilidade é usar recursos bíblicos para, pela graça de Deus, superar o mal com o bem (Romanos 12.21). Se o sofrimento não foi intencional, mas sua resposta foi pecaminosa, você deve arrepender-se. Em vez de ser excessivamente sensível enquanto se concentra em si mesma, você deve ser humilde e se concentrar em pensamentos verdadeiros e amáveis sobre a outra pessoa.

Meus pais estavam certos quando ensinaram-me a não pensar em termos de *meus sentimentos feridos*. Em vez disso, deveríamos pensar em termos de *amar a Deus e os outros*.

Questões para Estudo

1. Aliste três exemplos de ocasiões quando seus sentimentos foram feridos.

2. De onde vêm os sentimentos feridos?

3. De acordo com Ezequiel 6.7-9, como os filhos de Israel feriram Deus?

4. Como o exercício de nossa liberdade no Senhor pode ferir um irmão mais fraco? (veja Romanos 14.15)

5. Aliste os oito princípios bíblicos para superar uma mágoa causada intencionalmente. Pense num exemplo pessoal para cada um.

6. Defina "sofrimentos que não são causados intencionalmente".

7. Quais pecados geralmente estão envolvidos quando você experimenta sofrimentos que não são causados intencionalmente?

8. Em vez de supor o pior sobre os motivos da outra pessoa, o que deveríamos supor? Use as Escrituras para dar base a sua resposta.

9. Volte aos três exemplos que você alistou na questão 1 e escreva uma resposta bíblica.

PARTE DOIS

❧❦

SOLUÇÕES BÍBLICAS PARA PROBLEMAS COM VOCÊ MESMA

❧❦

Digo, porém: andai no Espírito e jamais satisfareis à concupiscência da carne. Porque a carne milita contra o Espírito, e o Espírito, contra a carne, porque são opostos entre si; para que não façais o que, porventura, seja do vosso querer.
Gálatas 5.16-17

6 Há no mundo alguém mais bela do que eu?

VAIDADE

"ESPELHO, ESPELHO MEU, há no mundo alguém mais bela do que eu? Bem, obviamente a mais bela não é você e não sou eu, e podemos ficar muito infelizes por isso!" O fato é que muitas mulheres são absolutamente infelizes por causa de sua aparência. Seu desejo de ser bonita é tão grande que chegam a fazer tratamentos de beleza que colocam a vida delas em risco, a fim de se sentirem melhor consigo mesmas. O amor pela beleza não é nada novo – diz a lenda que um belo jovem grego, chamado Narciso, definhou por amor a sua própria imagem. Numa lagoa, ele olhou sua beleza por tanto tempo que se tornou uma flor (um narciso silvestre).

Hoje em dia, temos nossas próprias versões de Narciso. Li sobre uma mulher que gastou toda a sua herança em cirurgias plásticas extremas porque queria parecer uma boneca Barbie. Bem, você e eu podemos não fazer algo tão tolo, mas podemos ficar deprimidas e ter pena de nós mesmas, se não temos determinada aparência, ou se nossas roupas não são daquela numeração que desejamos. Encontramo-nos comparando nossa aparência com a aparência de outras mulheres em todos os lugares aonde vamos. Quando fazemos isso, somos vãs. Somos como Narciso, definhando por amor à beleza.

Neste capítulo, definiremos vaidade, aprenderemos sobre a ênfase das Escrituras na verdadeira beleza, veremos o ponto de vista bíblico acerca de uma mulher vã e estudaremos o que as Escrituras nos advertem a respeito da vaidade. Comecemos com a definição de vaidade.

O QUE É VAIDADE?

Vaidade é algo "vazio, fútil, vão ou inútil. Vaidade (no sentido do amor pela beleza) é um orgulho enfatuado que alguém tem de sua aparência".[1] É um problema universal, mas contamina especialmente as mulheres. Durante a época de Isaías, as judias ofereceram um exemplo vívido de mulheres vãs.[2] Elas eram exemplos vivos de quão decadente aquela sociedade havia se tornado. Tanto os homens quanto as mulheres, passaram a viver como as sociedades pagãs e carnais ao redor delas. Deus estava para julgar severamente o pecado deles quando enviou Isaías, o profeta, para adverti-los.

Isaías advertiu os judeus de que a nação de Judá (a parte do sul de Israel) seria levada como escrava pelo rei da Babilônia, Nabucodonosor. Eles haviam deixado de servir ao único e verdadeiro Deus para servir a outros deuses. Um desses deuses era o deus da beleza:

> Diz ainda mais o Senhor: Visto que são altivas as filhas de Sião e andam de pescoço emproado, de olhares impudentes, andam a passos curtos, fazendo tinir os ornamentos de seus pés, o Senhor fará tinhosa a cabeça das filhas de Sião, o Senhor porá a descoberto as suas vergonhas (Isaías 3.16-17).

Essas mulheres eram orgulhosas e sensuais. Você não acha que elas eram algo interessante de se ver, com seus passinhos presunçosos e pequenos sinos barulhentos nos pés para chamar atenção? Os esforços que faziam a fim de parecerem bonitas eram extremos. O juízo de Deus estava diretamente apontado contra a vaidade delas:

> Naquele dia, tirará o Senhor o enfeite dos anéis dos tornozelos, e as toucas, e os ornamentos em forma de meia-lua; os pendentes, e os braceletes, e os véus esvoaçantes; os turbantes, as cadeiazinhas para os passos, as cintas, as caixinhas de perfumes e

os amuletos; os sinetes e as jóias pendentes do nariz; os vestidos de festa, os mantos, os xales e as bolsas; os espelhos, as camisas finíssimas, os atavios de cabeça e os véus grandes. Será que em lugar de perfume haverá podridão, e por cinta, corda [para levá-las como escravas]; em lugar de encrespadura de cabelos, calvície; e em lugar de veste suntuosa, cilício; e marca de fogo, em lugar de formosura (Isaías 3.18-24).

Essa não é uma imagem bonita, e também não é bonito diante de Deus quando gastamos quantidades excessivas de tempo e dinheiro, a fim de chamar atenção para nós mesmas. Com a finalidade de desenvolver discernimento a respeito da vaidade proriamente dita, considere os sinais alistados na ilustração 6.1.

Ilustração 6.1 – Discernindo a vaidade propriamente dita

Sinais de vaidade	Exemplos particulares
Preocupação excessiva com a aparência.	• Você encontra-se examinando cautelosamente cada manchinha e ruga. • Com frequência, imagina o que outras pessoas estão pensando e dizendo sobre sua aparência. • Num daqueles dias em que seu cabelo não está bonito e em que amanheceu com os olhos inchados, você tem a ousadia de sair de casa, mas sente-se constrangida e desconfortável.
Incapacidade de receber elogios graciosamente.	• Em vez de apreciar um elogio com gratidão, você fica constrangida ou chateada. • Desde que você não se sente bonita, nem acha que está, em determinado momento, bela, fica aborrecida quando alguém chama a atenção dos outros para você.
Depressão ou ansiedade decorrentes do pensamento de que está "gorda".	• Em vez de servir ao Senhor todo dia com gratidão e alegria, você se sente extremamente infeliz por causa de seu peso.

Busca doentia por magreza.	• Você abusa pecaminosamente de seu corpo mediante desordens alimentares como bulimia, anorexia, dietas que, no momento, estão na moda, ou exercícios extremos.
Gastos excessivos em roupas, cabelo e maquiagem.	• Falta de equilíbrio entre a quantidade gasta em roupas, cabelo e maquiagem e o que você dá ao Senhor ou gasta com outras pessoas. • Sua prioridade é a aparência e não dar glória a Deus.
Comparação de si mesma com outras pessoas e com a aparência delas.	• Você olha para outras mulheres na igreja e pensa: *Hoje estou mais bonita do que ela*, ou: *Estou horrível hoje. Olha para ela – ela perdeu tanto peso. Pareço velha e feia.*
Induzir os outros a elogiarem-na.	• A fim de receber os elogios desejados, você pergunta: "Como estou?" • Você rebaixa a sua aparência esperando que os outros discordem de você.
Recusar-se a fazer sexo com seu esposo por sentir-se feia ou gorda.	• Você está mais preocupada com sua aparência e com seus sentimentos do que em demonstrar amor por seu esposo. • Você é egoísta ao recusar-se a fazer sexo com seu esposo.
Desculpar-se pela sua aparência.	• Geralmente, quando você encontra uma pessoa conhecida, a primeira frase que sai de sua boca é um pedido de desculpas a respeito de sua aparência. • Ainda que você não diga nada, sente-se muito desconfortável com sua aparência.

Agora que vimos alguns dos sinais da vaidade, observemos o que as Escrituras nos ensinam.

ÊNFASE DAS ESCRITURAS SOBRE A BELEZA VERDADEIRA

Enganosa é a graça, e vã, a formosura, mas a mulher que teme ao SENHOR, essa será louvada (Provérbios 31.30).

Uma coisa que é vã, é também fútil, sem valor, inútil, se reduz a nada e é um mero sopro. Obviamente, seguir a vaidade é uma enorme perda de tempo! No fim das contas, qualquer pessoa com mais de 50 anos lhe dirá que esta é uma batalha perdida. O que *será* importante na corrida eterna é o quanto amamos o Senhor. Desde que temos apenas um determinado tempo nesta terra, o que desejamos ver quando olhamos para trás em nossa vida? Ficar sentada em frente a um espelho e definhar é uma vergonhosa perda de tempo. Vemos claramente a profundeza da futilidade quando comparamos uma mulher vã com uma mulher que "teme ao Senhor!"

O Novo Testamento descreve o adorno de uma mulher verdadeiramente bela como sendo a modéstia, roupas discretas, boas obras e "um espírito manso e tranquilo".

> Da mesma sorte, que as mulheres, em *traje decente*, se ataviem com modéstia e bom senso, não com cabeleira frisada e com ouro, ou pérolas, ou vestuário dispendioso, porém com *boas obras* (como é próprio às mulheres que professam ser piedosas) (1 Timóteo 2.9-10).

> Não seja o adorno da esposa o que é exterior, como frisado de cabelos, adereços de ouro, aparato de vestuário; seja, porém, o homem interior do coração, unido ao incorruptível trajo de um espírito manso e tranquilo, que é de grande valor diante de Deus (1 Pedro 3.3-4).

Em primeiro lugar, as roupas de uma mulher devem ser modestas e discretas. Em todos os lugares aonde vou, parece que não consigo deixar de perceber o estilo de roupas justas e decotadas. A imodéstia resultante é vergonhosa e sexualmente sedutora aos homens. Se uma mulher não sabe como seu modo de vestir afeta os homens, então ela é uma ingênua. Contudo, se ela sabe e continua a vestir-se de uma maneira provocante, então, talvez ela seja sensual em seu coração.

As mulheres nos dias de Paulo eram ostentosas em sua maneira de vestir e em seu comportamento. Talvez você tenha visto fotos ou estátuas delas com pesados penteados em formato de colmeias entrelaçadas com tranças, ouro e pérolas. Elas pensavam que eram bonitas, mas achamos que eram ridículas. Independentemente de estarmos falando sobre colmeias no alto da cabeça ou sobre mulheres quase nuas com roupas decotadas e calças justas, o princípio bíblico permanece o mesmo. Arrumar-se piedosamente requer vestimentas apropriadas que sejam modestas e discretas. Com frequência, mulheres me pedem orientações a respeito de quão justa uma peça pode ser, ou do comprimento ou decote que é aceitável. Minha resposta é: "Se você tem de perguntar, então o mais provável é que não se trata de uma roupa modesta". É muito tentador elaborar regras, mas regras externas não tornam uma pessoa piedosa. O que torna você piedosa é Deus agindo em seu coração. Uma mulher que ama o Senhor terá um coração inclinado à modéstia no vestir, a fim de não fazer os homens serem tentados a cometer o pecado da lascívia.

A segunda ênfase para uma mulher que alega ser piedosa é que a beleza dela deve ser vista em suas boas obras. Quando penso numa mulher que é conhecida por suas boas obras, penso em minha amiga Patty Thorn. Ela sempre está nos bastidores fazendo algo por alguém, e com frequência isso inclui a mim ou a minha família. Ela procura maneiras de servir. Ela cozinha e limpa, ou visita, lê a Bíblia e ora por um doente. Ela ensina as meninas em sua sala de escola bíblica dominical a serem servas quando as leva a casas de saúde e de repouso para visitar pacientes. Ela ajuda as meninas a prepararem presentes e praticarem músicas para cantar. Patty espalha alegria aonde quer que vá, e é ávida para contar aos outros sobre o Senhor. Todos que conhecem Patty a amam porque ela demonstra piedade exemplar mediante suas boas obras. Ela é uma mulher piedosa e verdadeiramente bela.

A terceira ênfase bíblica sobre a verdadeira beleza numa mulher é que ela deve ter um espírito manso e tranquilo. Isso não significa que ela sussurra ao falar. Significa que ela não é inclinada à ira ou ao medo, e que aceita o procedimento de Deus para com ela como sendo bom. Ela é grata a Deus e percebe que Ele está fazendo algo bom, ainda que sua beleza exterior esteja desvanecendo (ou ainda que tal beleza nunca tenha existido).

Quando penso numa mulher com um espírito manso e tranquilo, penso em minha mãe. Conforme ela envelhecia e sua beleza exterior desvanecia, nunca ouvi uma reclamação sua. Ela nunca preocupou-se demasiadamente com sua aparência, e disse-me que independentemente do quão velha fosse, por dentro ainda se sentia a mesma pessoa. Enquanto minha mãe não era conhecida por uma beleza excepcional, ela era conhecida por ser paciente e bondosa. Esse é o tipo de cristã que todas deveríamos desejar ser, porque uma mulher assim é "de grande valor diante de Deus" (1 Pedro 3.4).

A VISÃO BÍBLICA DE UMA MULHER VÃ

Temos visto a ênfase das Escrituras sobre a beleza verdadeira. Agora, pensemos sobre como o mundo vê a vaidade em contraste com a visão das Escrituras. O seu médico diagnosticaria que você sofre de um *problema de imagem corporal*, ou talvez o seu psicólogo dissesse que você deve ter *mágoas da infância*, de modo que as suas necessidades de *segurança e sentido* não foram supridas. Esses pontos de vista são vividamente contrastados nas Escrituras. Observe o ponto de vista das Escrituras sobre uma mulher vã:

Ela não é grata.

> Regozijai-vos sempre. Orai sem cessar. Em tudo, dai graças, porque esta é a vontade de Deus em Cristo Jesus para convosco (1 Tessalonicenses 5.16-18).

Ela não se contenta.

> De fato, grande fonte de lucro é a piedade com o contentamento (1 Timóteo 6.6).

Ela pensa de si mesma muito além do conveniente.

> Porque, pela graça que me foi dada, digo a cada um dentre vós que não pense de si mesmo além do que convém; antes, pense com moderação, segundo a medida da fé que Deus repartiu a cada um (Romanos 12.3).

Ela deseja ardentemente a beleza.

Ao contrário, cada um é tentado pela sua própria cobiça, quando esta o atrai e seduz. Então, a cobiça, depois de haver concebido, dá à luz o pecado; e o pecado, uma vez consumado, gera a morte (Tiago 1.14-15).

Ela não é motivada por amor a Deus ou por outras pessoas, mas por amor a si mesma e pela aprovação dos outros.

Não ameis o mundo nem as coisas que há no mundo. Se alguém amar o mundo, o amor do Pai não está nele; porque tudo que há no mundo, a concupiscência da carne, a concupiscência dos olhos e a soberba da vida, não procede do Pai, mas procede do mundo. Ora, o mundo passa, bem como a sua concupiscência; aquele, porém, que faz a vontade de Deus permanece eternamente (1 João 2.15-17).

Em vez de ter inveja de outras mulheres que são mais bonitas, deveríamos ser felizes por elas. Essa é uma maneira de demonstrarmos amor, não ardendo "em ciúmes" (1 Coríntios 13.4). Além disso, podemos aprender a aceitar elogios graciosamente. Creia que as pessoas estão sendo sinceras e, portanto, não julgue a motivação delas. É rude não receber um elogio graciosamente, porque o amor "não se conduz inconvenientemente" (1 Coríntios 13.5). Em vez disso, tenha um pensamento bondoso sobre a outra pessoa, crendo que ela é sincera (Filipenses 4.8). Se você se sentir desconfortável ou constrangida, confesse a Deus o seu pecado de orgulho e, depois, diga: "Obrigada".

Em determinada manhã, fui cedo à cozinha pegar uma xícara de café e encontrei um amigo que estava nos visitando. Ele disse para mim: "Você está especialmente bonita hoje". Fiquei surpresa com o que ele disse porque eu havia acabado de sair da cama e de vestir meu robe para ir à cozinha. Embora eu não achasse que o elogio dele pudesse ser verdadeiro, disse: "Obrigada". Só depois, quando olhei no espelho, descobri que ele estava brincando comigo. Eu estava com uma grande quantidade de rímel borrado sob cada olho e parecia com um racum! Então, quer você realmente pareça ou não com um racum, tome por certo que os elogios dos outros são sinceros e seja graciosa. Se você souber que estão brincando com você, ria de si mesma!

Lembre-se que a verdadeira beleza está dentro e não fora. A esposa de Abraão, Sara, é um bom exemplo. As Escrituras nos dizem que ela era bonita. Mesmo tarde, em sua vida (e sabemos que ela era realmente velha!), ela adornava a si mesma sendo submissa e respeitosa para com seu marido. Ser bela no exterior não rendeu a Sara a honra de ser chamada uma mulher santa, mas o fato de que ela era piedosa fez dela um exemplo a ser seguido por todas nós.

> Pois foi assim também que a si mesmas se ataviaram, outrora, as santas mulheres que esperavam em Deus, estando submissas a seu próprio marido, como fazia Sara, que obedeceu a Abraão, chamando-lhe senhor, da qual vós vos tornastes filhas, praticando o bem e não temendo perturbação alguma (1 Pedro 3.5-6).

Nosso exemplo mais precioso de beleza verdadeira é o de nosso Deus trino. Sabemos que o Senhor Jesus não era um homem bonito e que "não tinha aparência nem formosura; olhamo-lo, mas nenhuma beleza havia que nos agradasse" (Isaías 53.2). Contudo, Davi escreveu sobre a "beleza da [sua] santidade" (Salmos 29.2). Davi também desejava ver o Senhor em sua beleza e descreveu seu desejo no salmo 27:

> Uma coisa peço ao SENHOR, e a buscarei: que eu possa morar na Casa do SENHOR todos os dias da minha vida, para contemplar a beleza do SENHOR e meditar no seu templo (Salmos 27.4).

ADVERTÊNCIAS BÍBLICAS A RESPEITO DA VAIDADE

A beleza é vã. É uma busca depressiva e, enfim, impossível e vazia:

> Enganosa é a graça, e vã, a formosura, mas a mulher que teme ao SENHOR, essa será louvada (Provérbios 31.30).

A beleza é uma das maneiras de a adúltera atrair a sua presa:

Para te guardarem da vil mulher e das lisonjas da mulher alheia. Não cobices no teu coração a sua formosura, nem te deixes prender com as suas olhadelas (Provérbios 6.24-25).

Jerusalém confiou na formosura que Deus havia lhe concedido e entregou-se à lascívia (espiritual):

Correu a tua fama entre as nações, por causa da tua formosura, pois era perfeita, por causa da minha glória que eu pusera em ti, diz o SENHOR Deus. Mas confiaste na tua formosura e te entregaste à lascívia, graças à tua fama; e te ofereceste a todo o que passava, para seres dele (Ezequiel 16.14-15).

O coração de Satanás elevou-se por causa de sua formosura:

Tu eras querubim da guarda ungido, e te estabeleci [Deus]; permanecias no monte santo de Deus... Perfeito eras nos teus caminhos, desde o dia em que foste criado até que se achou iniquidade em ti... Elevou-se o teu coração por causa da tua formosura, corrompeste a tua sabedoria por causa do teu resplendor; lancei-te por terra, diante dos reis te pus, para que te contemplem (Ezequiel 28.14-15, 17).

Beleza exterior sem beleza interior é monstruosidade:

Como joia de ouro em focinho de porco, assim é a mulher formosa que não tem discrição (Provérbios 11.22).

UMA PALAVRA DE ADVERTÊNCIA:

No esforço de ser modesta e discreta no jeito de vestir-se e maquiar-se, é fácil tornar-se tão rígida a ponto de não desfrutar da liberdade que Deus dá. Não há nada de errado em fazer uso de alguns adornos, visto que despojar-se de toda maquiagem e usar apenas roupas simples, de cores escuras, não torna uma mulher mais agradável a Deus. Se ela pensa que torna, o seu prazer está na falsa humildade (ver Colossenses 2.18). Sua pseudoespiritualidade vem a ser coisas que, "com efeito, têm aparência de sabedoria, como culto de si mesmo, e de falsa humildade... todavia, não têm valor algum contra a sensualidade" (Colossenses 2.23). Então, não seja legalista quanto a roupas e maquiagem. Alegre-se com a liberdade que o Senhor deu a você nesta área, mas use esta liberdade dentro dos limites dos princípios bíblicos que explicamos.

Conclusão

O objeto de nossa paixão não deve ser o amor por nós mesmas, e o chamar atenção para nós mesmas. O objeto de nossa paixão deve ser Deus e a ação de servi-Lo independentemente de nossa aparência. Devemos agradecer a Deus pela nossa aparência e envelhecer agradecidas e dando graças a Ele por tudo. Deveríamos deixar um legado para nossas filhas e para as mulheres mais jovens em nossa igreja, que testemunhe acerca de nossa paixão ter sido o Senhor Jesus e não nossa aparência. Em vez de viver como mulheres vãs e orgulhosas, nossa vida deveria ser um "sacrifício vivo, santo e agradável a Deus" (Romanos 12.1).

Vaidade é o amor pela beleza. É engraçado pensar em Narciso transformando-se num narciso silvestre, mas não é tão engraçado quando pensamos a respeito de quão feias somos para Deus, quando amamos a nós mesmas como as filhas de Sião fizeram, em vez de amá-Lo com todo o nosso coração, toda nossa alma, mente e todas as nossas forças.

Onde está o seu coração? O que é realmente importante para você? Quanto tempo você gasta pensando na sua aparência e no que os outros pensam de você? Quanto tempo você gasta comparando a si mesma com outras mulheres ou lamentando o seu peso? Os incrédulos amam e estimam a si mesmos. Devemos amar e estimar o Senhor Jesus e ficar alegres por Ele usar-nos conforme prefere – independentemente de nossa aparência.

Questões para Estudo

1. As judias nos dias de Isaías deixaram de servir ao Deus único, verdadeiro. Deus as advertiu mediante o profeta Isaías, de que o juízo viria. Qual era o juízo? Veja Isaías 3.16-24.

2. Tendo como referência a ilustração 6-1, faça uma lista dos sinais de vaidade em si mesma. Você consegue pensar em outros sinais?

3. Qual é a ênfase do Antigo Testamento quanto à vaidade? Em vez de ser vã, o que deveria definir uma mulher piedosa?

4. Qual é a ênfase do Novo Testamento quanto à vaidade? Qual deveria ser o adorno de uma mulher piedosa?

5. De acordo com 1 Timóteo 2.9-10, o que o termo "traje decente" descreve?

6. Dê vários exemplos de boas obras que você poderia fazer por outras pessoas.

7. O que significa ter "um espírito manso e tranquilo"?

8. Faça a correspondência das seguintes características de uma mulher vã com as referências bíblicas apropriadas:

Ela não é contente.	1 Timóteo 6.6
Ela pensa de si mesma além do conveniente.	Tiago 1.14-15
Ela não é grata.	1 João 2.15-17
Ela é tentada a pecar pela sua própria cobiça por beleza.	1 Tessalonicenses 5.16-18
Ela é motivada por amor ao mundo.	Romanos 12.3

9. Quem é nosso exemplo mais precioso de beleza piedosa?
10. Quais são algumas das advertências bíblicas acerca da vaidade?
11. Tendo em mente a questão 2, como deve ser sua oração?

7
Você tem certeza que a TPM *é real?*

TPM

*G*ERALMENTE AS PESSOAS PENSAM que a TPM é uma licença para ficar frenética. Todos sabem que algumas mulheres têm grandes dificuldades com relacionamentos e com suas emoções quando passam pela TPM. Mulheres muito tranquilas, que não têm problemas de TPM, são raras. Quando eu era conselheira de mulheres no Atlanta Biblical Counseling Center, as mulheres com frequência incluíam a TPM em sua lista de problemas. Algumas agitavam-se, iradas, outras, com ataques de pânico. Muitas ficavam tristes e deprimidas. Antes de a menstruação começar de fato, ocorrem as emoções ruins, exatamente quando estão variando a duração e a intensidade das cólicas, no início do período menstrual.

Quando eu era uma esposa e uma mãe jovem (antes de ser cristã), lembro que me sentia desencorajada, tinha paranoias e pena de mim mesma durante a semana que antecedia meu período menstrual. Isso era muito estranho porque normalmente eu era o oposto. Contudo, durante a TPM, um aspecto de minha personalidade acontecia conforme o que era mais costumeiro: minha tendência de ficar irada e impaciente. A frustração e irritação que eu sentia, às vezes prolongavam-se completamente fora de controle. Numa palavra, eu ficava furiosa!

Depois que o Senhor me salvou, meus sintomas de TPM continuaram, mas, conforme minha ira e impaciência diminuíam devido à graça de Deus, diminuíam alguns de meus sentimentos ruins e algumas de minhas más ações antes da menstruação. Agora eu tinha o Senhor e sua Palavra, aos quais podia apegar-me e, a medida em que eu fazia isso e O honrava a despeito de meus sentimentos, passava aqueles momentos de TPM razoavelmente bem.

O que Deus quer nos ensinar durante esses momentos? Como podemos suportá-los de uma maneira que honre a Deus, que O agrade? Comecemos com uma pequena definição médica e com um plano de tratamento para TPM e, depois, projetemos um plano de ação bíblico. A TPM é real, mas a nossa esperança no Senhor também é.

DEFINIÇÃO, SINTOMAS E TRATAMENTO

De acordo com um periódico médico, eis como os doutores definem TPM:

> Tensão pré-menstrual (TPM) refere-se a um grupo de desordens menstruais e sintomas que incluem desordem disfórica pré-menstrual [desagradáveis sintomas físicos e emocionais], assim como perturbações afetivas [sentimentos e comportamentos transitórios], alterações no apetite, confusões cognitivas [habilidade de pensar], retenção de líquido e vários tipos de dor.[1]

Em outras palavras, na semana anterior ao início de sua menstruação, ou uns 10 dias antes, você tem os sintomas. Uma vez que a menstruação realmente começa, os sintomas da TPM diminuem com rapidez.

Os sintomas incluem retenção de líquidos, insônia, pesadelos, calor, desordens gastrointestinais, palpitações, tontura e sintomas hipoglicêmicos (dor de cabeça, fadiga, cólicas, ânsia por coisas doces ou salgadas). Além disso, há mudanças de humor como ira mais intensa, ansiedade, frustração ou depressão.

Ao olhar vários periódicos médicos, descobri que há maneiras diferentes de tratar a TPM. *Todos concordavam que determinados hábitos com muita frequência reduzem ou aliviam completamente os sintomas da TPM*. Os hábitos eram prática de exercícios, cumprimento de certa dieta e terapia incentivadora (um amigo com quem conversar). Em geral, dois ou três parágrafos eram devotados aos hábitos a serem desenvolvidos. A maneira como falavam de medicações, contudo, foi um caso diferente.

Nos periódicos, havia páginas tratando de medicações que, eles admitiam, nem sempre funcionavam e que, às vezes, tornavam as coisas piores. Havia diuréticos para inchaço, medicações sem esteroides para desconforto físico, anticoncepcionais para estabilizar os hormônios e drogas psicotrópicas para desconforto emocional. Os periódicos diziam que anticoncepcionais ajudavam vinte e cinco por cento das mulheres, cinquenta por cento permaneceriam do mesmo jeito e vinte e cinco por cento delas ficavam pior. As drogas psicotrópicas como tranquilizantes (do tipo Xanax) e antidepressivos (do tipo Prozac) possivelmente ajudariam com alguns dos sintomas, mas também poderiam torná-los piores. Por exemplo, um dos principais efeitos colaterais do Prozac é ansiedade. Para a mulher que já está lutando com a ansiedade, isso poderia terminar sendo seu pior pesadelo.[2]

Às vezes, as pessoas me perguntam se eu penso que a TPM é real. A resposta é "Sim!", entretanto, ainda sendo tão real, ela não pode nos impedir de honrar a Deus e amar os outros durante esse período. Então, voltemo-nos a um plano de ação bíblico para lidar com a desordem da TPM.

UM PLANO DE AÇÃO BÍBLICO

1. Faça uma avaliação honesta das fraquezas de seu caráter.

Se você é naturalmente do tipo que se preocupa ou que fica irritada facilmente, ficará pior nos dias anteriores a sua menstruação. Se é uma pessoa um tanto melancólica, provavelmente ficará muito mais triste e desencorajada. Sejam quais forem suas fraquezas, elas serão agravadas. Então, você precisará trabalhar nessas áreas. E, com ajuda de Deus, você pode mudar.

2. Escreva um diário para análise de si própria.

Sempre que se sentir triste, irritada, nervosa ou ansiosa, escreva o que está pensando. Depois, analise cada pensamento com base nas Escrituras e escreva um pensamento que honre a Deus. Considere os exemplos na ilustração 7.1.

Ilustração 7.1 – Diário para análise de si própria

Critérios bíblicos para os pensamentos (Filipenses 4.8)	Exemplo de pensamento errado	Exemplo de pensamento que honra a Deus
"Tudo o que é verdadeiro" (enfrentam a realidade, mas com esperança em Deus).	Ninguém se importa comigo.	Tenho a sensação de que ninguém se importa comigo, mas a verdade é que muitas pessoas se importam, e o Senhor se importa mais do que todas elas (1 Pedro 5.7).
"Tudo o que é respeitável" (honram a Deus).	Por que Deus não me ajuda? Depois de tudo que fiz por Ele, olha o que recebi.	Senhor, perdoa-me por Te caluniar. Usa-me para tua glória de qualquer modo que quiseres. Se os sintomas da TPM têm de continuar, nada posso fazer. Quero glorificar-Te.
"Tudo o que é amável" (supõem o melhor).	Meu esposo não me ama. Ele diz que ama, mas não está sendo sincero.	Sinto como se ele não me amasse, mas sei que meus sentimentos mudarão quando minha menstruação começar. Portanto, irei contra meus sentimentos e pensarei o melhor sobre ele (1 Coríntios 13.7).

| "De boa fama e... louvor" (apontam para Deus). | Não aguento mais. Não há esperança. | Com ajuda de Deus, posso ficar nessas circunstâncias e não pecar contra Ele. Ele não permitirá que eu seja pressionada além do que posso suportar (1 Coríntios 10.13). |

3. Perceba que oscilações de humor são reais e difíceis, mas não são uma desculpa para pecar.

Antes de o Senhor Jesus morrer, Ele disse aos seus discípulos que não ficassem com medo, que Ele voltaria e que Deus Pai, mandaria outro Auxiliador que estaria com eles para sempre – o Espírito Santo (João 14.16-17). Sabemos, a partir de trechos bíblicos posteriores, que o Espírito Santo habita em todos os crentes e ajuda-os a não pecar. Quando Deus nos salva, Ele torna impotente o domínio que antes o pecado tinha sobre nós. Ainda pecaremos até partirmos para estar com o Senhor, contudo, não temos de ceder à tentação. Paulo escreveu:

> Assim também vós considerai-vos mortos para o pecado, mas vivos para Deus, em Cristo Jesus. Não reine, portanto, o pecado em vosso corpo mortal, de maneira que obedeçais às suas paixões; nem ofereçais cada um os membros do seu corpo ao pecado, como instrumentos de iniquidade; mas oferecei-vos a Deus, como ressurretos dentre os mortos, e os vossos membros, a Deus, como instrumentos de justiça (Romanos 6.11-13).

4. Planeje e mantenha sua dieta e seus exercícios.

Há muitas coisas práticas que você pode fazer mesmo sem ir ao médico. Evite cafeína por pelo menos dez dias antes de sua menstruação. Isso também significa ficar sem chocolate (sinto muito!), porque chocolate contém cafeína. Mantenha uma boa dieta, equilibrada com refeições menores e mais frequentes. Isso ajudará o seu nível de açúcar no sangue a permanecer estável. Tente fazer algum tipo de exercício aeróbico moderado de quinze a vinte minutos diariamente durante aqueles dez dias. Isso significa fazer uma caminhada rápida ou se exercitar com um programa de ginástica pela TV ou DVD. Você não tem de fazer aulas de aeróbica ou ir para a academia a menos que queira. Se a mudança na dieta e os exercícios durante aqueles dias suavizam os sintomas, então, parece tolice tomar medicamentos que alteram o ânimo, os quais são caros, potencialmente danosos, com efeitos colaterais muito sérios e frequentemente difíceis de parar de tomar.

5. Planeje com sabedoria o seu calendário.

Marque no calendário a data em que você espera vir a menstruação. Se o seu ciclo é de vinte e oito dias, comece a contar os dias no primeiro dia de sua última menstruação. Quando chegar ao dia vigésimo oitavo, conte de volta de sete a dez dias e marque aqueles dias como prováveis para sentir TPM. Se possível, não planeje coisas estressantes e desnecessárias para aquele tempo. Um jantar para muita gente talvez possa ser programado para uma semana diferente, ou podem ser mais flexíveis os convites para pessoas de fora da cidade. Certamente nunca espere até o último momento (o qual poderia ser seu tempo de TPM) para fazer suas compras de natal.

6. Planeje um descanso extra.

Para algumas mulheres é bom tirar cochilos durante os dias de TPM. Se você tem filhos, programar pausas ou cochilos para a tarde ajudará. Contudo, não deixe que isso se torne uma desculpa para ficar deitada, preguiçosa, ou para assistir novelas e ficar ainda mais deprimida. Programe o despertador e, então, levante-se e volte a trabalhar depois de seu descanso.

7. Peça ajuda ao seu esposo ou a uma piedosa amiga mais velha.

Desde que os cristãos devem ajudar a levar o fardo de pecado uns dos outros, encontre alguém que seja próximo a você e peça ajuda. Peça-lhe que cobre de você pensamentos e ações piedosos e que mostre as vezes em que você sai da linha. A pessoa que for fazer isso por você deve ser gentil e bondosa, mas firme e direta. Esta pode ser uma das maneiras de seu marido viver com você "com discernimento" (1 Pedro 3.7).

Os sintomas da TPM em geral são ruins, não são algo de que uma mulher simplesmente pode "escapar". Então, a pessoa a quem você deve prestar contas precisa ser paciente, compreensiva e não querer agir "pagando mal por mal... antes, pelo contrário, bendizendo" (1 Pedro 3.9). O alvo dele ou dela deve ser ajudar a restaurar você a um relacionamento correto com Deus e com os outros.

8. Junto com a pessoa a quem você prestará contas, faça um planejamento a respeito de como você poderá ser ajudada de fato. A ilustração 7.2 é um exemplo.

Ilustração 7.2 – Planejamento de prestação de contas

Lembre-me das Escrituras.	• Recite de cor ou leia Hebreus 4.15-16. • Lembre-me que este é um de meus momentos de dificuldade. • Lembre-me de pedir ajuda a Deus
Ore por mim e comigo.	• Para que eu honre a Deus em meus pensamentos a despeito de como me sinta (Filipenses 4.8). • Para que eu seja gentil e bondosa em vez de irada e amarga (Efésios 4.30-32). • Para que meu amor aumente ainda mais e mais em verdadeiro conhecimento e discernimento (Filipenses 1.9). • Para que o fruto do Espírito seja demonstrado em minha vida para o louvor e para a glória da graça de Deus (Gálatas 5.22-23; Efésios 1.6). • Para que eu não busque apenas os meus próprios interesses, mas os interesses dos outros (Filipenses 2.4). • Para que eu faça todas as coisas sem murmuração e contenda (Filipenses 2.14).

Dê-me esperança.	• Leia trechos bíblicos que me lembrarão da bondade de Deus e de seus propósitos em minha vida (Romanos 8.28-29; 1 Coríntios 10.13; Lamentações 3.21-25).
Lembre-me que eu não tenho de pecar; posso glorificar a Deus.	• Se eu honrar a Deus e for contra o que sinto, haverá bênçãos agora (estabilidade emocional e boa convivência com os outros) e na eternidade (recompensas no tribunal de Cristo) (1 Coríntios 3.10-15). • Nada existe que possa me impedir de dar glória a Deus (1 Coríntios 10.31). • Como crente, o domínio do pecado em minha vida foi destruído (Romanos 6.11-14).
Leia os Salmos para mim ou peça que eu leia em voz alta.	• Ensine-me que os Salmos são os tranquilizantes de Deus para minha alma. Neles encontrarei outras pessoas que lutaram com dores emocionais e com circunstâncias difíceis. Um exemplo é Salmo 73.25-26, 28: "Quem mais tenho eu no céu? Não há outro em quem eu me compraza na terra. Ainda que a minha carne e o meu coração desfaleçam, Deus é a fortaleza do meu coração e a minha herança para sempre... Quanto a mim, bom é estar junto a Deus; no Senhor Deus ponho o meu refúgio, para proclamar todos os seus feitos".
Lembre-me de prestar contas a Deus do meu pecado e, por meio disso, aproximar-me dEle.	• Posso ter a alegria de saber que estou honrando o Senhor apesar de como me sinto. • Deus é fiel para perdoar-me (1 João 1.9). • Conforme me aproximo de Deus, Ele promete aproximar-Se de mim (Tiago 4.8-10). • Quando peco, meus sentimentos ruins se intensificam, criando, assim, dores emocionais desnecessárias e tornando mais difícil não pecar. • Peça a Deus para ajudar-me a refrear minha língua e não pecar contra Ele durante este período (Tiago 1.19-20).

Quer você tenha ou não uma pessoa a quem prestar contas, diante de Deus você ainda tem a responsabilidade de fazer a coisa certa. Se não há ninguém para ajudar, uma solução é fazer um quadro com essas informações e analisá-las sozinha, quando estiver lutando com algo.

9. Se necessário, procure um médico.

Seu médico pode certificar-se de que você não tem outros problemas físicos como hipoglicemia, problemas de tireoide ou um efeito colateral de algum medicamento que você já está tomando o qual esteja ocasionando mais depressão ou ansiedade (por exemplo, anticoncepcionais, esteroides ou remédio para controlar a pressão sanguínea).

10. Mantenha uma casa e um horário organizados.

Uma casa limpa, organizada, ajudará naqueles dias quando você se sente desnorteada, confusa e sobrecarregada. Tenha sempre estocadas duas ou três refeições simples e rápidas para preparar naqueles dias difíceis. Ter a maioria das roupas limpas, dobradas, guardadas ou passadas e penduradas no armário será uma bênção especial em dias difíceis. É bom saber onde estão as chaves do carro, visto que você as deixou onde devem ficar. É bom ter combustível no carro, porque você parou e abasteceu antes de o tanque ficar vazio. Esforçar-se para ser organizada o tempo todo faz a vida mais fácil quando no caminho acontecem os impactos da TPM.

11. Retire o foco de si mesma e coloque-o em Deus e nos outros.

- Ore pelos outros.
- Agradeça a Deus por...
- Cumpra suas responsabilidades, quer você esteja com vontade ou não.
- Cante músicas e hinos de louvor ou ouça-os em CDs ou fitas.
- Diga a Deus que O ama e que Ele é bom.
- Memorize novos trechos bíblicos ou revise outros que você já memorizou.

Conclusão

A TPM é real. E por causa de nossos hormônios *e* nosso pecado, poderemos agir como o Dr. Jekyll ou o Sr. Hyde. Nossas tendências pecaminosas serão agravadas e seremos testadas de maneiras que normalmente não nos irritariam de forma alguma ou, certamente, num grau bem menor. Vimos muitas coisas práticas que você pode fazer para ajudar, mas o essencial durante os dias de TPM é ter um relacionamento correto com Deus, e assim alegrar-se nEle e no que Ele está fazendo em sua vida de modo que as emoções dolorosas não oprimam você.

O Senhor Jesus conhece nossas fraquezas; Ele é nosso socorro sempre presente. Ele convida você para ir confiadamente ao seu trono de graça e lá receber "misericórdia e... graça para socorro em ocasião oportuna" (Hebreus 4.16). Ouça o salmo de Davi:

> Senhor, tu me sondas e me conheces.
>
> Sabes quando me assento e quando me levanto; de longe penetras os meus pensamentos.
>
> Esquadrinhas o meu andar e o meu deitar e conheces todos os meus caminhos.
>
> Ainda a palavra me não chegou à língua, e tu, Senhor, já a conheces toda.
>
> Tu me cercas por trás e por diante e sobre mim pões a mão.
>
> Tal conhecimento é maravilhoso demais para mim: é sobremodo elevado, não o posso atingir...
>
> Pois tu formaste o meu interior, tu me teceste no seio de minha mãe.
>
> Graças te dou, visto que por modo assombrosamente maravilhoso me formaste; as tuas obras são admiráveis, e a minha alma o sabe muito bem;
>
> Os meus ossos não te foram encobertos, quando no oculto fui formado e entretecido como nas profundezas da terra.
>
> Os teus olhos me viram a substância ainda informe, e no teu livro foram escritos todos os meus dias, cada um deles escrito e determinado, quando nem um deles havia ainda.
>
> Que preciosos para mim, ó Deus, são os teus pensamentos! E como é grande a soma deles!

Se os contasse, excedem os grãos de areia; contaria, contaria, sem jamais chegar ao fim...

Sonda-me, ó Deus, e conhece o meu coração, prova-me e conhece os meus pensamentos; vê se há em mim algum caminho mau e guia-me pelo caminho eterno

(Salmos 139.1-6, 13-18, 23-24).

Questões para Estudo

1. O que significa TPM?

2. Verdadeiro ou falso:

   a) Os sintomas da TPM começam no dia que a menstruação começa.
   b) A única maneira de tratar TPM é com medicação.
   c) Mulheres que naturalmente são do tipo que se preocupam provavelmente serão muito preocupadas ou ansiosas durante o período de TPM.
   d) É comum as mulheres sentirem pena de si mesmas durante a TPM.
   e) Não há problema em agir de acordo com o que sentimos.

3. Faça uma lista das ações que uma mulher pode tomar para ajudá-la com os sintomas da TPM.

4. Como você explicaria a ação de planejar seu calendário sabiamente?

5. Faça um plano de ação pessoal junto com a pessoa a quem você prestará contas. Você pode usar toda a lista ou parte dela, conforme a ilustração 7.2, ou pode criar sua própria lista. Certifique-se de incluir várias passagens bíblicas em seu planejamento.

6. O que a manutenção de uma casa organizada tem a ver com honrar a Deus durante seu ciclo menstrual?

7. Quais são algumas maneiras específicas de você tirar o foco de si mesma e colocá-lo em Deus e nos outros?

8

Eu simplesmente amo regras, você não?

LEGALISMO

NOSSA FILHA, ANNA, estudou numa faculdade evangélica bem conhecida na década de 1980. Nessa faculdade, eles tinham um extenso livro de regras. Para sua tristeza, ela quebrou quatro das regras, antes mesmo de ter tempo de ler o livro! Como não era rebelde em seu coração, Anna não teve problemas para seguir as regras uma vez que as conheceu, mas o problema que ela teve foi com os alunos que amavam tanto as regras ao ponto de oferecerem-se como investigadores particulares, para pegar em ciladas e entregar alunos que quebravam ou pareciam quebrar a menor regra. Esses estudantes tornaram-se como os fariseus dos dias de Jesus, que eram religiosos num sentido ruim. Os estudantes e os fariseus tornaram-se surpreendentemente criativos em sua habilidade de elaborar regras religiosas que eles pensavam que os salvariam ou que os fariam mais agradáveis a Deus. Geralmente acompanhavam esses padrões autoimpostos com um desdém por aqueles que não seguiam as regras, um senso de superioridade sobre os outros, uma visão antibíblica da graça e impunham aos alunos um medo das consequências, se não fizessem tudo certo.

O legalista dos dias modernos parece muito com aqueles alunos espiões e com os fariseus. O legalista é de tal forma levado em direção a um pensamento antibíblico que há fortes advertências nas Escrituras contra tal religião feita por homens:

Vede, guardai-vos do fermento dos fariseus (Marcos 8.15).

Cuidado que ninguém vos venha a enredar com sua filosofia e vãs sutilezas, conforme a tradição dos homens, conforme os rudimentos do mundo e não segundo Cristo (Colossenses 2.8).

Não vos deixeis envolver por doutrinas várias e estranhas, porquanto o que vale é estar o coração confirmado com graça e não com alimentos, pois nunca tiveram proveito os que com isto se preocuparam (Hebreus 13.9).

A vida do legalista não é o jubiloso caminhar cristão que Deus pretende. É uma vida de fardo para si mesmo e para os outros a quem ele influencia. Martinho Lutero descreveu vividamente a disposição mental do legalista: "Cristo é um bom Mestre. Ele faz o começo, mas Moisés [a lei do Antigo Testamento] deve completar a estrutura. A natureza do diabo se mostra nisto: [se] ele não pode arruinar as pessoas prejudicando-as e perseguindo-as, ele o faz aperfeiçoando-as".[1] Neste capítulo, queremos tratar do que a Bíblia ensina sobre legalismo, sobre típicos pensamentos e ações legalistas e sobre como superar a pecaminosa inclinação para fazer adições ao padrão de justiça de Deus.

O QUE A BÍBLIA ENSINA SOBRE LEGALISMO

Os fariseus faziam parte de uma seita religiosa judaica que evoluiu até que eles tornaram-se um grupo legislativo muito rígido e cheio de justiça própria. Pensava-se que eles eram o epítome da justiça. Eles odiavam o Senhor Jesus porque Ele enxergava além da fachada deles e conhecia seu coração. Os fariseus elaboraram centenas de novas leis que eles seguiam confortavelmente. A fim de justificar o fato de observarem certas leis e outras não, eles dividiram a Lei de Deus em leis maiores (as quais eles obedeciam) e leis menores (que, no pensamento deles, eram opcionais). As leis que eles arbitrariamente decidiam ser as "maiores" eram, é claro, aquelas que eles não desobedeciam de jeito nenhum.

O fariseu do Antigo Testamento e o legalista dos dias modernos são muito parecidos. Ambos são pecaminosamente orgulhosos. Eles pensam que podem ganhar o favor de Deus ou que, de alguma forma, o merecem, e menosprezam aqueles que não são tão "espirituais" como eles pensam que são. O legalismo é um exemplo vívido de *não* confiar no Senhor, mas de firmar-se em seu próprio entendimento (veja Provérbios 3.5).

Princípios bíblicos concernentes ao legalismo[2]

Para compreender o legalismo, observemos doze princípios bíblicos:

1. O legalismo visa alcançar a espiritualidade mediante o que alguém faz ou não faz.

Um legalista estabelece um padrão exterior de espiritualidade e então julga todos por esse padrão. Desde que determinado indivíduo estabeleceu o padrão, normalmente ele sempre o mantém.[3]

> Porquanto, desconhecendo a justiça de Deus e procurando estabelecer a sua própria, não se sujeitaram à que vem de Deus (Romanos 10.3).

2. A Lei é uma regra ou mandamento divino.

Geralmente, quando as pessoas dizem "*a* Lei", estão referindo-se aos Dez Mandamentos ou à Lei Mosaica inteira localizada nos primeiros cinco livros da Bíblia:

> Então, disse o Senhor a Moisés: Assim dirás aos filhos de Israel: Vistes que dos céus eu vos falei. Não fareis deuses de prata ao lado de mim... (Êxodo 20.22-23).

3. A Lei possui três aspectos:

a) O sistema sacrificial: Os judeus deveriam trazer animais para serem sacrificados e os sacerdotes realizariam o sacrifício. Havia razões diversas para os diferentes sacrifícios, mas a principal razão era a oferta pela culpa para expiar o pecado de Israel. Isso não é mais necessário porque o sacrifício foi cumprido no Senhor Jesus Cristo:

> Com efeito, nos convinha um sumo sacerdote como este, santo, inculpável, sem mácula, separado dos pecadores e feito mais alto do que os céus, que não tem necessidade, como os sumos sacerdotes, de oferecer todos os dias sacrifícios, primeiro, por seus próprios pecados, depois, pelos do povo; porque fez isto uma vez por todas, quando a si mesmo se ofereceu (Hebreus 7.26-27).

b) A lei civil: A lei civil foi dada à nação de Israel no Antigo Testamento. Havia muitas leis civis, incluindo leis dietéticas, leis que decretavam quais anos a terra deveria permanecer sem cultivo de plantações e leis que diziam quantos dias após o nascimento de um menino ele deveria ser circuncidado. Não estamos mais sob as leis civis:

> Insurgiram-se, entretanto, alguns da seita dos fariseus que haviam crido, dizendo: É necessário circuncidá-los e determinar-lhes que observem a lei de Moisés. Então, se reuniram os apóstolos e os presbíteros para examinar a questão. Havendo grande debate, Pedro tomou a palavra e lhes disse:... Mas cremos que fomos salvos pela graça do Senhor Jesus, como também aqueles o foram (Atos 15.5-7, 11).

c) A lei moral: Nós, como aqueles no tempo do Antigo Testamento, estamos sob a lei moral de Deus. Por exemplo, no Antigo Testamento foi dito que não cometêssemos adultério, e o padrão do Novo Testamento é o mesmo. De fato, o Senhor Jesus explicou, além disso, que não devemos nem mesmo cobiçar em nosso coração. A lei moral de Deus nos convence, refreia o pecado na sociedade e é a regra de vida para o crente:

> Então, falou Deus todas estas palavras: Eu sou o Senhor, teu Deus, que te tirei da terra do Egito, da casa da servidão... Não adulterarás (Êxodo 20.1-2, 14).

Ouvistes que foi dito: Não adulterarás. Eu [o Senhor], porém vos digo: qualquer que olhar para uma mulher com intenção impura, no coração, já adulterou com ela (Mateus 5.27-28).

4. Deus supriu todos os meios para a salvação do homem, para tirá-lo do pecado. O Senhor Jesus Cristo, Deus encarnado, é a única provisão para a salvação que é aceitável a Deus. Cristo obedeceu a lei de Deus perfeitamente, tendo a vida sem pecado que deveríamos ter mas que não conseguimos. O homem não merece a provisão de Deus para a salvação. Por causa do pecado, o homem merece condenação. Por causa da graciosa provisão de Deus, o homem pode ser salvo, entretanto, apenas mediante a fé em Cristo:

> Porquanto o que fora impossível à lei, no que estava enferma pela carne, isso fez Deus enviando o seu próprio Filho em semelhança de carne pecaminosa e no tocante ao pecado; e, com efeito, condenou Deus, na carne, o pecado, a fim de que o preceito da lei se cumprisse em nós, que não andamos segundo a carne, mas segundo o Espírito (Romanos 8.3-4).

5. Liberdade é a vida do cristão sob o controle do Espírito Santo. Em Cristo, o crente é livre para ter uma vida agradável a Deus não estando mais sob a penalidade e o poder do pecado.

> Porque, se fomos unidos com ele na semelhança da sua morte, certamente, o seremos também na semelhança da sua ressurreição, sabendo isto: que foi crucificado com ele o nosso velho homem, para que o corpo do pecado seja destruído, e não sirvamos o pecado como escravos; porquanto quem morreu está justificado do pecado (Romanos 6.5-7).

6. O legalismo é uma resposta antibíblica à lei de Deus. A resposta antibíblica à lei de Deus é uma tentativa do homem de adicionar suas próprias boas obras à graça de Deus. Ao fazer isso, o homem busca conformar-se a um sistema com o propósito de glorificar a si mesmo:

> E é evidente que, pela lei, ninguém é justificado diante de Deus, porque o JUSTO VIVERÁ PELA FÉ (Gálatas 3.11).

7. O problema com o legalismo está no coração do homem (no que ele pensa). O coração natural é um coração legalista; o homem acha que pode ajudar Deus, que pode torná-Lo um devedor para com ele, ou que merece o que Deus tem feito por ele. É o orgulho que nos impede de ver nosso pecado e como somos completamente dependentes de Deus para realizar a obra de nossa salvação:

> Ora, o homem natural não aceita as coisas do Espírito de Deus, porque lhe são loucura; e não pode entendê-las, porque elas se discernem espiritualmente (1 Coríntios 2.14).

8. Por causa da natureza do homem e sua propensão ao pecado, ele quer tornar possível viver a vida cristã de uma maneira mundana. O legalista busca técnicas e fórmulas (passo um, passo dois...). Os comandos são muito gerais. Ele pensa que precisa de mais organização quanto à resposta para as complexidades da vida. Alguns exemplos dos dias modernos são "passos para descobrir a vontade de Deus", ou "testemunhe para X pessoas a cada dia", ou "as roupas devem ser de um certo estilo", ou "abstenha-se de certos alimentos":

> Não destruas a obra de Deus por causa da comida... (Romanos 14.20).

9. Legalismo é qualquer tentativa de mudar as pessoas mediante submissão a regras. Geralmente as igrejas que exercem uma autoridade antibíblica fazem isso.

> Rogo, pois, aos presbíteros que há entre vós, eu, presbítero como eles, e testemunha dos sofrimentos de Cristo, e ainda coparticipante da glória que há de ser revelada: pastoreai o rebanho de Deus que há entre vós, não por constrangimento, mas espon-

taneamente, como Deus quer; nem por sórdida ganância, mas de boa vontade; nem como dominadores dos que vos foram confiados, antes, tornando-vos modelos do rebanho (1 Pedro 5.1-3).

10. O legalismo é expresso numa variedade de maneiras: Os homens acham que suas ações deveriam ganhar o favor de Deus porque Deus, de alguma forma, estaria sujeito a eles. O homem simula uma religião que, na verdade, é vã e repetitiva. Ele age baseado apenas na sabedoria e força humanas sem consideração pela Palavra de Deus ou pelo Espírito Santo:

> Cuidado que ninguém vos venha a enredar com sua filosofia e vãs sutilezas, conforme a tradição dos homens, conforme os rudimentos do mundo e não segundo Cristo (Colossenses 2.8).

11. Legalismo é uma resposta antibíblica às narrativas do Antigo Testamento. Esse sistema pode ser bíblico ou feito pelo homem. Geralmente os legalistas analisam as narrativas do Antigo Testamento, não entendem o propósito, e fazem suas regras em relação à história. Exemplos disso são as regras de dieta, regras de namoro e promessas decorrentes de "bênçãos" paternais.

> Isaque chamou a Jacó e, dando-lhe a sua bênção, lhe ordenou, dizendo: Não tomarás esposa dentre as filhas de Canaã. Levanta-te, vai a Padã-Arã, à casa de Betuel, pai de tua mãe, e toma lá por esposa uma das filhas de Labão, irmão de tua mãe. Deus Todo-Poderoso te abençoe, e te faça fecundo, e te multiplique para que venhas a ser uma multidão de povos; e te dê a bênção de Abraão, a ti e à tua descendência contigo, para que possuas a terra de tuas peregrinações, concedida por Deus a Abraão (Gênesis 28.1-4).

Toda a Escritura é útil para nos ensinar, mas nem toda a Escritura é *sobre* nós ou *para* nós (veja 2 Timóteo 3.16). Assim, pais que elaboram certas regras ou "bênçãos" especiais prometidas para seu filho baseados em narrativas do Antigo Testamento, tipo as bênçãos de Isaque para Jacó, estão errados quanto ao sentido da passagem. O sentido é o que Deus está fazendo para cumprir as promessas de sua aliança com os filhos de Israel. Às vezes, os pais, involuntariamente, usam a passagem de maneira errada e colocam sobre seu filho um fardo de regras feitas por homens ou de expectativas falsas.

Outro exemplo seria regras de namoro. Ter padrões pessoais e tradições familiares tais como a de um jovem pedir a permissão do pai antes de chamar uma jovem para sair está certo. Não namorar de maneira leviana está certo. O que está errado é pensar que esses padrões pessoais são regras dadas por Deus que garantem sucesso no casamento. Em vez de regras duras e práticas, o padrão bíblico é sabedoria, discernimento, casar apenas com um cristão, castidade antes do casamento e saber que tanto o seu filho ou sua filha e seu cônjuge pecarão – mas há maneiras bíblicas de lidar com o pecado deles. Então, tenha padrões e fundamente-os sobre princípios bíblicos, mas não eleve-os a um nível do tipo: "Assim disse o Senhor".

12. O legalismo busca a exaltação da própria pessoa e o ser digno de mérito em vez de glorificar a Deus pelo que Ele tem feito. A fonte de poder é a *própria pessoa*, não o Espírito Santo. Israel caiu nesse tipo de legalismo:

> E, quando orardes, não sereis como os hipócritas; porque gostam de orar em pé nas sinagogas e nos cantos das praças, para serem vistos dos homens. Em verdade vos digo que eles já receberam a recompensa. Tu, porém, quando orares, entra no teu quarto e, fechada a porta, orarás a teu Pai, que está em secreto; e teu Pai, que vê em secreto, te recompensará. E, orando, não useis de vãs repetições, como os gentios; porque presumem que pelo seu muito falar serão ouvidos (Mateus 6.5-7).

O QUE O LEGALISMO FAZ

Há muitos problemas com o legalismo. Considere a seguinte lista:

- O legalismo tira nossa atenção de Jesus Cristo ao concentrar-se em nossos próprios esforços em vez de concentrar-se no que Ele tem feito por nós.

- O legalismo tira a liberdade do crente ao substituir o Espírito pela conformidade com o controle.
- O legalismo tenta colocar Deus na posição de devedor. Ele pensa que Deus nos deve alguma coisa quando fazemos o bem.
- O legalismo resulta numa regressão na vida cristã.
- O legalismo é desempenho orientado. Ele concentra-se mais no que alguém faz do que naquilo que alguém é.
- O legalismo traz severidade e conflito nos relacionamentos de alguém. A razão para isso é que o legalismo cria uma atitude elitista na qual a conformidade é exigida e a falha não é tolerada.
- O legalismo rouba a alegria do cristão, pois ele nunca conhece a "paz" que a fé traz. O legalista é tão aplicado em *fazer*, que não sabe como *deleitar-se* na aceitação de Deus.
- Os legalistas são muito zelosos. É por isso que o legalismo traz resultados, mas os resultados são falsos.
- O legalismo é seletivo nas questões que escolhe e promove. Ele toma partes da Lei de Deus, mas ignora o restante. Ele nunca é consistente. Um aspecto interessante não é o que o legalismo proíbe, é o que ele omite.
- Se não for controlado, o legalismo afeta tudo. Se lhe for dado tempo, ele controla tudo – igrejas, escolas e denominações.
- O legalismo ataca a graça. Os legalistas acusam aqueles que pregam a graça de serem antinomianos (antilei). Mas isso não pode ser verdade porque o que a graça realmente faz é afastar qualquer pretensão de realização espiritual. A graça promove obediência a Deus por causa das bênçãos que nos dá. A graça é uma licença para servir, não uma licença para pecar.
- O legalismo é inflexível e condenatório. Ele se recusa a ver muitas (se é que chega a ver alguma) das áreas de maturidade na vida cristã. Os legalistas têm regras para quase todas as áreas da vida e têm uma atitude crítica para com aqueles que não concordam com seus padrões. Isso pode resultar num ambiente muito tenso.
- O legalismo promove o orgulho e a justiça própria. É claro que o legalista nega isso, entretanto, é verdade.
- O legalismo opta por um padrão mais baixo que o de Deus. O tipo de legalismo que enfatiza muitas regras feitas pelo homem fica satisfeito com algo que é um padrão realmente inferior. Con-

sidere o seguinte contraste vívido entre regras feitas pelo homem e a elevada e santa lei de Deus. Regras feitas pelo homem: Não use joias, maquiagem ou jeans, queime seus CDs de músicas seculares porque eles têm demônios, não use nenhum anticoncepcional, insista que o cabelo dos homens deve estar acima das orelhas. A Lei de Deus: Ame a Deus e ame aos outros.

POR QUE AS ESCRITURAS SE OPÕEM TANTO AO LEGALISMO?

Para os outros (e certamente para si mesmos) os legalistas podem parecer muito piedosos. A ênfase deles coloca-se em coisas inferiores, pequenas; eles perdem o âmago e a intenção real da lei de Deus como a que se refere a hospitalidade, ao amor, ao cuidado com a viúva e os órfãos, a generosidade, a bondade, a justiça e a misericórdia. Não admira que o Senhor Jesus os tenha repreendido fortemente: "Ai de vós, escribas e fariseus, hipócritas, porque dais o dízimo da hortelã, do endro e do cominho e tendes negligenciado *os preceitos mais importantes da Lei*: a justiça, a misericórdia e a fé..." (Mateus 23.23).

O legalismo também cria uma pessoa orgulhosa: "Estou obedecendo as regras, então, devo ser espiritual". O Senhor Jesus chocou as pessoas que pensavam não haver ninguém mais justo do que os fariseus: "Porque vos digo que, se a vossa justiça não exceder em muito a dos escribas e fariseus, jamais entrareis no reino dos céus" (Mateus 5.20). Em outras palavras, eles precisavam ter justiça perfeita, o que, é claro, apenas Deus poderia fazer por eles.

O legalismo cria justiça própria. Ele menospreza aqueles que não são tão espirituais quanto eles. Vemos esse exemplo nas Escrituras quando o Senhor Jesus comeu com cobradores de impostos e pecadores, e os fariseus questionaram seus discípulos. Quando Jesus ouviu o que estava sendo dito, falou: "Os sãos não precisam de médico, e sim os doentes. Ide, porém, e aprendei o que significa: MISERICÓRDIA QUERO E NÃO HOLOCAUSTOS; pois não vim chamar justos, e sim pecadores" (Mateus 9.12-13). Os fariseus deveriam ter se alegrado por "pecadores" poderem passar momentos com nosso Senhor.

O legalismo enfatiza o exibicionismo. Lembra do fariseu que ficou de pé na esquina orando em voz alta, agradecendo a Deus por não ser como o pecador que estava ali perto? O Senhor Jesus disse que legalistas são como sepulcros caiados que, por fora, se mostram belos, mas interiormente estão cheios de ossos de mortos. Ele disse-lhes: "Assim também vós exteriormente pareceis justos aos homens, mas, por dentro, estais cheios de hipocrisia e de iniquidade" (Mateus 23.28). Quase todos conseguem se exibir pelo menos por um tempo, mas o crente verdadeiro deseja que a atenção seja chamada para Deus, não para si mesmo.

O legalismo pode tornar-se muito rígido e impedir a presença do amor. Lares legalistas com frequência são carentes de amor porque possuem muitas regras e rigidez. Uma regra legalista que podem ter, por exemplo, é a de que uma garota não deveria casar-se com um homem convertido há menos tempo que ela. Os pais podem irritar os filhos por terem suas regras como sendo do tipo: "Assim disse o Senhor", em vez de reconhecer áreas onde seus filhos têm liberdade no Senhor para serem diferentes dos outros.

O legalismo pode criar uma dependência dos líderes humanos. É comum os cristãos seguirem um homem (ou um movimento) porque ele oferece um novo conjunto de regulamentos para dadas situações. As pessoas voltam-se para esse tipo de líder em vez de voltarem-se para a Palavra de Deus mediante estudo pessoal. Elas podem ser mantidas em escravidão emocional a tais líderes porque, às vezes, eles dizem: "Não tem problema fazer aquilo, mas se você *realmente* deseja o melhor para Deus, então..." Bem, quem não desejaria o melhor para Deus? Embora possa *parecer* que é o legalista que deseja o melhor para Deus, isso não é verdade. O que legalistas realmente desejam é passar uma boa impressão de si mesmos.

Lembre-se que você não deve rotular alguém automaticamente como legalista só porque ele ou ela tem regras diferentes ou segue um estilo de vida mais rígido. Os legalistas têm uma *atitude* errada para com suas regras. Eles adicionam regras ao evangelho ou à maneira de crescermos como cristãos. Eles tendem a ser rígidos, irados, severos e, frequentemente, cheios de justiça própria em vez de serem amáveis, bondosos e gentis. Igrejas e escolas cristãs devem ter regras. As regras ajudam-nos a viver juntos e nos protegem. Então, não rejeite automaticamente uma igreja ou uma escola porque elas têm regras. A pergunta a ser considerada é: Qual é a atitude delas para com suas regras?

As Escrituras condenam firmemente aqueles que possuem uma religião externa, falsa, e cujo coração está distante de Deus. O crente forte (aquele que entende sua liberdade em Cristo e que sabe como exercê-la responsavelmente) tem uma obrigação com o irmão mais fraco (o do tipo legalista). Ele deve amá-lo e buscar ajudá-lo a compreender sua liberdade em Cristo e a relação entre lei e graça. Devemos dar exemplo do cristianismo bíblico e não criticar os legalistas. Nossa vida deve ser um modelo da graça de Deus agindo em nosso coração.

Um modelo da graça de Deus

Leia a seguinte lista e veja se, em seu coração, você é um modelo da graça de Deus, ou um fariseu.[4]

1. Você leva a sério a total corrupção de sua natureza humana? Isso não significa que cada pessoa será tão má quanto pode ser, mas significa que toda a sua natureza foi afetada pelo pecado (sua vontade, seu intelecto, suas afeições e sua consciência) (Gênesis 6.5).

2. Você acredita que somente a Bíblia é a Palavra de Deus inspirada e a autoridade sobre sua vida? (2 Timóteo 3.16-17)

3. Você possui um respeito correto pela obra expiatória do Senhor Jesus Cristo na cruz, entendendo que não pode adicionar coisa alguma à obra dEle? Nem mesmo o batismo, a ceia, os atos cerimoniais de adoração ou uma perfeita frequência na igreja? (Efésios 2.1-10)

4. Você dá a Deus o crédito por qualquer fruto que exista em sua vida, sabendo que é o Espírito Santo que produz tal fruto? (Gálatas 5.13-23)

5. Você vê a vida através das lentes do amor por Deus e pelos outros? (Mateus 22.35-40)

6. Você ensinaria pacientemente a cristãos mais novos, ou tentaria impor sobre eles padrões em áreas nas quais Deus nos deu liberdade?

7. Você faz distinção entre "Assim disse o Senhor" e seus próprios padrões pessoais? Por exemplo: As mulheres devem ser modestas no vestir *versus* as mulheres não podem usar maquiagem nos olhos.

8. Você está mais inclinada a pensar: *Fico feliz por não ser como Fulana...* ou a pensar: *É somente pela graça de Deus que não sou pior do que Fulana. Orarei por ela.*

9. Você tem desdém pelos outros, pensando: *Nunca faria o que ela fez*, ou tem compaixão e pensa: *Por causa de minha natureza pecaminosa, sou capaz de fazer algo pior. Como posso ajudá-la?*

10. Se você visse a filha de sua amiga na igreja com um anel num dedo do pé, ficaria horrorizada, ou pensaria: *Bem, este não é o tipo de coisa que eu faria, mas não é pecado usar um anel num dedo do pé. Esta é uma área onde ambas temos liberdade; eu, de não usar, e ela de usar.*

11. A sua primeira reação ao ser tocada na igreja uma música que você desaprova é: *Esta música é terrível. Eles não devem ser cristãos!* Ou seria: *Só porque não gosto da música deles, certamente não significa que eles não são cristãos.*

12. Você acredita que se usar maquiagem está fora da vontade de Deus, ou acha que maquiagem é uma questão de "liberdade no Senhor" e que você pode desfrutar dessa liberdade?

13. Você tem estado desencorajada, pensando: *Se eu não ler minha Bíblia todos os dias, não devo ser cristã*, ou no caso de passar um dia sem ler a Bíblia, você pensa: *Com certeza Deus deseja que eu leia minha Bíblia todos os dias, mas Ele realizou a obra da minha salvação na cruz. Não há como eu fazer acréscimos a minha salvação, ou mantê-la mediante a leitura da Bíblia.*

14. Você já se pegou suspeitando da espiritualidade ou da salvação de outra mulher porque o cabelo dela é curto? Ou você percebe que

estilos de cabelo são culturais e que essa é uma área na qual ela possui liberdade no Senhor?

15. Você já pensou ou disse: *Meu filho jamais faria aquilo que o filho dela acabou de fazer?* Ou você seria rápida em pensar: *Até onde sei, meu filho jamais fez o que o filho dela fez, mas isso não significa que ele não fará isso ou algo pior no futuro.*

16. Você é atraída por sistemas cheios de regras, tais como "namoro", pensando que se você seguir direitinho as regras, Deus terá de abençoar o casamento de seus filhos? Ou percebe que namoro não é uma questão do tipo "Assim disse o Senhor", mas algo baseado em regras feitas por homens e retiradas de histórias do Antigo Testamento? O que é bíblico é a sabedoria, o discernimento, é casar-se apenas com um cristão ou uma cristã, é castidade antes do casamento e saber que tanto o seu filho quanto a sua filha e seu cônjuge pecarão – mas há maneiras bíblicas de lidar com isso.

17. Você já pensou: *Se eu comer demais (ou cometer qualquer outro pecado), Deus ficará chateado comigo, e devo não ser salva*, ou pensaria: *Minha salvação não depende, nem jamais dependeu do que como. Devo acreditar em Deus quando sua Palavra diz:* "Se confessarmos os nossos pecados, ele é fiel e justo para nos perdoar os pecados e nos purificar de toda injustiça" (1 João 1.9).

Conclusão

O legalista pensa que suas atividades religiosas exteriores obrigarão Deus a salvá-lo, ou, se não pensa isso, acredita que, pelo menos será mais agradável a Deus se mantiver suas regras e ordens. Temos visto que, em vez de desdenhar aqueles que não seguem nossas regras, devemos tolerar as diferenças não-pecaminosas. Em vez de possuir um senso de superioridade em relação aos outros, devemos ter humilde compaixão, compreendendo que poderíamos ser piores que eles. Em vez de manter uma visão antibíblica da graça de Deus, nossa vida deveria ser um exemplo da graça dEle e, em vez de temer as conseqüências, se não fizermos tudo certinho, deveríamos desfrutar da liberdade que o Senhor nos tem dado e sermos gratos pelo perdão que temos em Cristo.

Não classifique com rapidez as pessoas como legalistas somente porque elas possuem padrões pessoais mais rígidos ou diferentes dos seus. Legalismo não é o que você ou elas *fazem*, mas o que você ou elas *pensam* sobre o que você faz. O coração legalista está em escravidão a um sistema de espiritualidade pecaminoso. Se este é um problema em seu coração, você deve arrepender-se e sair da escuridão da justiça própria e entrar na luz da gloriosa graça de Deus.

Questões para Estudo

1. Por que os fariseus dividiram as leis de Deus em leis *maiores* e leis *menores*?

2. Faça a correspondência:

Os legalistas estabelecem sua própria justiça.	Mateus 5.27-28
Sacrifícios de animais não são mais necessários para expiar o pecado por causa da morte do Senhor Jesus Cristo na cruz.	Romanos 8.3-4
Os fariseus queriam manter os cristãos escravos da circuncisão.	Romanos 6.5-7
A lei moral de Deus nos convence, refreia o pecado na sociedade e é uma regra de vida para o crente.	Atos 15.5-11
O Senhor Jesus Cristo, não a Lei, é a única provisão aceitável a Deus para a salvação do homem.	Romanos 10.3
O crente não está mais sob a escravidão do pecado.	Hebreus 7.26-27

3. De acordo com Gálatas 3.11, como o homem justo *não* é justificado? Como ele deve viver?

4. De acordo com o princípio 8, no subtítulo "Princípios bíblicos concernentes ao legalismo", o que há de errado com as técnicas e fórmulas?

5. Quais são algumas das maneiras segundo as quais o legalismo se manifesta? (Veja o princípio 10 em: "Princípios bíblicos concernentes ao legalismo".)

6. O que há de errado em elaborar regras a partir de narrativas do Antigo Testamento? (Veja o princípio 11 em: "Princípios bíblicos concernentes ao legalismo".)

7. Faça um breve resumo dos problemas com o legalismo a partir da lista "O que o legalismo faz".

8. Leia novamente as questões da lista "Um modelo da graça de Deus". Anote as áreas em que você sabe ser culpada. Analise as Escrituras ao final de cada questão. Pense e escreva o que você *deveria* estar pensando ou fazendo.

9. Diante deste estudo, qual é a sua oração?

PARTE TRÊS

☙❧

SOLUÇÕES BÍBLICAS PARA PROBLEMAS COM O MUNDO

☙❧

Não ameis o mundo, nem o que há no mundo.
Se alguém ama o mundo, o amor do Pai não está nele.
1 João 2.15

9 *Mas, e se eu gostar que alegrem meus ouvidos?*

A INFLUÊNCIA FEMINISTA

M TODA A MINHA VIDA TENHO SIDO influenciada pelo que os outros pensam e fazem. Todos somos. Pensando sobre minha infância, lembro de ter acreditado que tudo o que meus pais pensavam era verdade absoluta. Então, foi bastante perturbador para mim a primeira vez que percebi que eles estavam errados sobre algo. Entretanto, conforme fiquei mais velha, tornei-me menos e menos influenciada por meus pais e mais e mais influenciada pela televisão, pela educação e pelos amigos. Terminei o ensino médio e o curso de enfermagem na década de 1960. Aqueles foram os anos da guerra do Vietnã, da revolução sexual e do início do movimento feminista moderno.

O movimento feminista na América começou há mais de um século, fundamentalmente envolvendo direitos a voto e direitos iguais de domínio de posse para esposo e esposa; mas, por volta da década de 1960, o foco voltou-se para outras questões. A questão dominante tornou-se o direito da mulher de amadurecer até a uma "identidade humana plena".[1] Uma jovem chamada Betty Friedan articulou muito claramente sua busca pessoal por sentido, em um livro que ela escreveu intitulado *A Mística Feminina*.

A Mística Feminina conquistou a América. Milhares de homens e mulheres o leram. Quase todos falaram sobre ele. Ele foi o assunto de editoriais de jornais, de novas histórias da televisão, dos bate-papos dos salões de beleza e de artigos de revistas femininas. Muito rapidamente homens tornaram-se porcos chauvinistas e as mulheres tornaram-se as defensoras da liberdade ou capachos. As crenças de Friedan impactaram o pensamento de todos, de uma forma ou de outra. A filosofia dela *alegrou os ouvidos* de mulheres que viam a si mesmas como reprimidas e como pessoas de quem era tirada vantagem. Além disso, a filosofia dela ajudou a intimidar os homens a ponto de resignarem-se a uma passividade pecaminosa, em relação ao papel que lhes foi dado por Deus de líder da família. Infelizmente, esse livro também trouxe impactos para a igreja – se não de maneiras obviamente externas, então, de maneiras sutis, mas, apesar disso, antibíblicas.

Em *A Mística Feminina*, Friedan claramente buscou algum tipo de sentido em sua vida. As palavras *significado*, *identidade* e *autorealização* ocorrem repetidas vezes. Quando o livro dela foi publicado em 1963, Friedan era casada, tinha três filhos e disse que era frustrada por "existir apenas para e mediante seu esposo e seus filhos".[2] Ela concluiu que sua importância vinha não de seu esposo, mas de *sua* própria identidade, e *suas* próprias realizações em *sua* educação e em *seu* trabalho. (É importante observar que Friedan estava errada ao acreditar que a identidade de uma mulher vem de seu esposo *ou* de suas próprias realizações. Os cristãos sabem que são criaturas feitas à imagem de Deus, e que sua identidade vem de seu relacionamento com o Senhor Jesus Cristo.) Espiritualmente cega e rejeitando a Deus como o único que dava propósito a sua existência, ela foi chamada de "A Humanista do Ano", em 1975.

Depois que Friedan terminou a faculdade, especializou-se em psicologia com o psicólogo Erik Erikson. Em vez de olhar para Deus e para sua Palavra em busca de respostas, Erikson havia estudado psiquiatria sob a orientação da filha de Sigmund Freud, Anna. Ele também havia sido grandemente influenciado pelo trabalho do reconhecido ateu Abraham Maslow. Erikson teorizava que as pessoas passam por estágios de crise durante toda a vida. Aqueles que cruzassem de forma bem-sucedida cada estágio de crise desenvolveriam uma personalidade madura, saudável. Aqueles que não desenvolvessem uma personalidade madura, saudável, terminariam com problemas emocionais. Um dos estágios de Erikson é a crise de identidade do adolescente.[3] Segundo ele, o adolescente *deve* rebelar-se contra seus pais a fim de encontrar sua própria identidade. (Não importa que a Bíblia ensine que a identidade de uma pessoa é a de uma criatura de Deus, feita à sua imagem.) Fortemente influenciada por Erikson, assim como por outros psicólogos, Friedan escreveu: "Num sentido mais amplo, este livro poderia nunca ter sido escrito se, da parte de Erik Erikson, em Berkeley, eu não houvesse recebido uma educação em psicologia tão extraordinária".[4] Em *A Mística Feminina*, Friedan chama Erikson de "brilhante".[5]

Fazendo um empréstimo da ideia supostamente "brilhante" de Erikson, Friedan apareceu com sua própria ideia – a identidade madura de uma mulher não seria alcançada por intermédio do casamento ou da maternidade, mas mediante suas próprias realizações na educação e na carreira. Eis a forma como Friedan explicou o compromisso da mulher:

> Com a promessa de uma mágica realização mediante o casamento, a *mística feminina* (aquele elemento vago e misterioso que torna as mulheres passivas e dependentes, e que está ligado a sua feminilidade) prende o desenvolvimento da mulher a um nível infantil, desprovido de identidade pessoal. Pessoas realizadas [pessoas maduras, confiantes] invariavelmente têm um compromisso, um senso de missão na vida o qual as torna vivas num mundo humano muito amplo, um quadro de referência mais amplo do que o privatismo e a preocupação com os detalhes triviais da vida.[6]

Em outras palavras, mulheres que ficam em casa e cuidam de seu marido e família nunca tornam-se tudo o que podem ser. Elas lidam com áreas da vida triviais e sem importância, enquanto que os homens lidam com o mundo e com as coisas importantes. As mulheres, portanto, não possuem realmente a sua própria identidade. Elas não são significativas porque não fazem qualquer coisa significativa. O desenvolvimento delas está preso a um estado infantil.

Ter sua própria identidade especial é o coração do livro de Friedan. Aquelas que abraçam a filosofia dela, com frequência veem a si mesmas como vítimas de nossa sociedade dominada pelos homens. Friedan acreditava que as mulheres são "alvos e vítimas do comércio sexual".[7] É claro que ninguém desejaria ser tão tolo a ponto de tornar-ser vítima quando não precisaria ser. Então, a mensagem de Friedan naturalmente apela ao nosso senso de "Sim! Eu mereço mais do que isso!"

Friedan tomou parte em campanhas por salários iguais, por trabalhos iguais e para que as mulheres fossem admitidas em todas as faculdades e em todas as profissões. Certamente, nem tudo que ela desejou estava errado, mas sua filosofia subjacente de que a identidade de uma mulher vem apenas de sua educação e/ou carreira era infundada e antibíblica. Assim, isso atiçou as chamas da rebelião no coração das mulheres.

Na década de 1970, as mulheres começaram a frequentar grupos de promoção de consciência. Esses grupos tinham a intenção de ser terapêuticos, encorajando as mulheres a expressarem suas frustrações e sua ira quanto ao fato de serem usadas por toda a família. A crença era a de que homens e mulheres deveriam ser iguais em autoridade, e de que os homens deveriam compartilhar igualmente o cuidado para com os filhos e os serviços domésticos. A mulher deveria lutar pelos seus direitos!

Claramente é considerado uma virtude dentro do movimento feminista *não* deixar um homem dominar uma mulher. Bem, o tempo passou e a retórica feminina intensificou-se. O que Betty Friedan queria era salários iguais e direitos iguais a uma educação e uma carreira, a fim de que as mulheres pudessem conquistar sua própria identidade. O que as feministas querem agora é a legalização do aborto e da homossexualidade. Em 1992, a feminista Marilyn French escreveu um livro intitulado *A Guerra Contra as Mulheres*. Em seu livro, French inflama suas leitoras com frases do tipo: "Está sendo negada às mulheres a dignidade humana... Elas não são pessoas... São cidadãs de segunda classe... Algo está faltando na vida delas... Desperdiçando sua vida ao ficar em casa... O casamento tem os mesmos efeitos de uma instituição escravocrata... reprodutora doméstica, uma posição de subumanos inferiores".[8]

Bem, quem gostaria de ser um "subumano inferior"? Eu certamente não! Então, olhemos um pouco mais de perto o fundamento de French para tirar suas conclusões. Ela coloca a culpa da lamentável condição da mulher em (em quê, mesmo?) uma conspiração masculina para reescrever a Bíblia e, então, usá-la para tornar as mulheres subservientes a eles:

> A Bíblia foi compilada num período quando o patriarcado estava espalhando-se, e seus editores alteraram materiais primitivos para erradicar sinais de um domínio feminino anterior e fazer a supremacia masculina um princípio divino. Assim como a *Ilíada* e a *Eneida*, o Antigo Testamento é uma literatura magnífica que enfatiza a guerra, o domínio masculino e o assassinato (de inimigos, mais do que

enfatiza a compaixão ou a tolerância). Se ele foi dado por Deus sem erros, então, os seus valores, também dados por Deus, são eternamente corretos. Protestantes evangélicos conservadores usam uma Bíblia inerrante como a maior arma em sua guerra para reter as esferas separadas que garantem o domínio masculino. As mulheres não são imunes à mensagem fundamentalista, e a direita extremista com frequência as coloca em posições visíveis, geralmente em movimentos cuja intenção é impedir ou revogar os direitos das mulheres.[9]

Rejeitando as Escrituras como verdadeiras e inspiradas por Deus, French (assim como outros) reescreveu a história. Sem oferecer provas de sua teoria da conspiração masculina, ela a declara como um fato. Tão forçado quanto possa parecer para as pessoas, a resultante explosão do sistema de crença feminista tem afetado muito o mundo, incluindo cristãos, pessoas que acreditam na Bíblia. Por exemplo, as cristãs podem usar a "munição" da filosofia feminista para intimidar seus esposos e/ou os pastores, a fim de impedir que os homens sejam agressivos, determinados ou autoconfiantes. Essa manobra é desconcertante e ameaçadora para os homens porque assim como as mulheres não querem ser "subumanos inferiores", os homens não querem ser "porcos chauvinistas"!

COMO TEMOS SIDO INFLUENCIADAS

Visto que as influências geralmente são muito sutis, nosso desafio é compreender como temos sido influenciadas e como precisamos mudar. As mulheres não precisam estar em plena rebelião contra os homens, nem precisam ser membros com carteirinha da Organização Nacional das Mulheres para terem sido influenciadas por essa filosofia. A maioria de nós foi influenciada mesmo sendo cristãs comprometidas. Algumas das crenças feministas que foram chocantes nos salões de beleza, na década de 1960, gradualmente têm sido aceitas em nosso estilo de vida. As influências podem parecer sutis e, talvez, sem importância, mas quando resultam em um sistema de valores antibíblico, elas são enganosas e pecaminosas. Somente as Escrituras podem nos guiar através do confuso labirinto da influência do pensamento feminista.

Conclusão

A ilustração 9.1 contém apenas uma amostra de como pessoas cristãs devem aprender a pensar corretamente sobre determinados assuntos, observando-os da perspectiva de Deus. Não é uma questão de "se" tivermos sido influenciadas, mas de "quanto" nossos ouvidos têm sido alegrados, levando-nos a pensar nos termos do que a filosofia feminista dita. Como a água está para o peixe, o feminismo está para o mundo em que vivemos! Ele está em toda parte ao nosso redor. Lembre-se que, para as feministas, basicamente, tudo diz respeito a "mim" – minhas necessidades, minha importância, meus direitos, meu valor, meu pleno desenvolvimento e minha identidade. Muitos têm justificado as crenças feministas reescrevendo a história para apoiar a teoria da conspiração masculina. Ironicamente, o feminismo tem se tornado a conspiração.

Ilustração 9.1 – Como o feminismo tem nos influenciado

Crença feminista	Como temos sido influenciadas	Como as Escrituras nos dizem que devemos mudar
"A mística feminina permite, e até encoraja, as mulheres a ignorarem a questão de sua própria identidade. A mística diz que elas podem responder à pergunta: 'Quem sou eu?' dizendo: 'Sou [apenas] a esposa de Tom...'"[1]	Deus me deu dons a fim de que eu ensine e, talvez, até pregue. Isso é "quem sou". Por não ter permitido que eu ensine ou pregue para homens, acho que meu pastor oprime as mulheres com as opiniões limitadas que ele tem do papel delas. Ele usa a Bíblia para fundamentar seu ensino, mas, afinal, este é o século vinte e um!	Quando me pergunto: "Quem sou eu?" a resposta é: "Uma mulher criada por Deus à sua imagem. Minha responsabilidade como criatura de Deus é glorificá-Lo e servi-Lo como Ele merece. Com frequência, isso está no papel bíblico de esposa e mãe. Se eu casar ou não, devo usar os dons espirituais que Deus me deu e usá-los dentro da função bíblica de uma mulher.

"Não podemos mais ignorar aquela voz dentro das mulheres que diz: 'Quero algo mais do que meu esposo, meus filhos e minha casa'."[2]

Deve haver mais na vida do que limpar a casa. Farei alguma coisa para mim mesma! Minha família sobreviverá.

Oponha-se a essa filosofia errada; retire o foco de si mesma e o direcione a um desejo de honrar a Deus (Romanos 12.2), e obedeça a sua Palavra. Por exemplo: "Farei meu trabalho 'de todo o coração, como para o Senhor' e escolho considerar minha família mais importante do que eu mesma" (Colossenses 3.23; Filipenses 2.3).

"Tenho a tese de que a cultura vitoriana não permitia que as mulheres aceitassem ou satisfizessem suas necessidades básicas de crescer e desempenhar suas potencialidades como seres humanos, uma *necessidade* que não é definida só por seu papel sexual [como esposa e mãe]."[3]

E eu? E as minhas necessidades? E os meus direitos? Tem algo faltando em minha vida. Preciso do meu espaço.

Entenda que a teoria das "necessidades" é antibíblica. É desnecessário, inquietante e antibíblico pensar nestes termos. As Escrituras nos dizem que Deus nos tem dado *todas as coisas que precisamos*, "que conduzem à vida e à piedade" (2 Pedro 1.3). Então, deveríamos estar pensando em termos de amar a Deus e amar os outros e não em termos de nossas próprias necessidades (veja Mateus 22.37-40; Tito 2.4).

"Muitos psicólogos, incluindo Freud, têm cometido o erro de supor, a partir de observações de mulheres que não tiveram a educação e a liberdade de desempenhar toda a sua função no mundo, que a natureza da mulher é essencialmente passiva, conformista, dependente, temerosa, infantil..."⁴

As mulheres não são inferiores aos homens. Tenho tanto direito de expressar minha opinião quanto eles têm.

Para Deus não há parcialidade – quer sejamos homem ou mulher (veja Gálatas 3.28). Nas Escrituras fica claro que as mulheres não são inferiores aos homens; contudo, isso não significa que eu sempre tenho o direito de expressar minha opinião ou insistir na mesma. Minha responsabilidade é estar sob a autoridade de meu esposo (veja 1 Coríntios 11.3). Deus sabe mais do que qualquer pessoa como posso glorificá-Lo melhor.

"O casamento tem os mesmos efeitos de uma instituição escravocrata..."⁵

A submissão bíblica de uma esposa a seu esposo é um conceito antiquado. Hoje, a ênfase na igreja está na submissão mútua.

Ser submissa a meu esposo, a menos que ele me peça para pecar, é uma maneira fundamental de servir ao Senhor Jesus. Essa atitude pode não ser popular hoje, mas foi o que Deus escolheu que eu fizesse para glorificá-Lo. É um privilégio servir ao Senhor da maneira escolhida por Ele. Orarei para que minha submissão brilhe como uma luz num mundo em trevas (veja Efésios 5.22-24).

"Talvez esta seja somente uma sociedade doente ou imatura que escolhe tornar as mulheres 'donas de casa', não pessoas. Talvez sejam apenas homens e mulheres doentes ou imaturos, relutantes em encarar os grandes desafios da sociedade, aqueles que conseguem refugiar-se por longo tempo, sem angústias intoleráveis, naquela casa repleta de tralhas e fazer disso a finalidade da vida em si."[6]

Eu mereço mais do que isto!

Em vez de insistir no que acho que mereço, deveria estar pensando que devo servir ao Senhor graciosamente, como Ele quiser. Parte de como eu devo servir ao Senhor é cuidando de minha família. Que privilégio é passar meus dias educando meus filhos e cuidando de nossa maior posse terrena, nossa casa.

"Quem sabe sobre as possibilidades do amor [o casamento será melhor] quando os homens e as mulheres compartilham não apenas os filhos, a casa, o jardim, e não somente o cumprimento de seus papéis biológicos, mas também das responsabilidades e paixões do trabalho que cria o futuro humano e o pleno conhecimento humano de quem eles são?"[7]

Não é justo que meu esposo não faça nem a metade do trabalho aqui. Se ele me amasse, dividiria as responsabilidades de casa meio a meio.

Senhor, que o meu maior desejo seja agradar o Senhor (e que o Senhor cumpra a sua vontade em minha vida) e não rebelar-me contra Ti, exigindo meus supostos direitos "iguais". Dá-me a disposição para ser uma trabalhadora alegre em casa (veja Tito 2.5).

"A mística feminina tem sido bem-sucedida em enterrar vivas milhões de americanas. Não há como essas mulheres livrarem-se de seus confortáveis campos de concentração, exceto mediante um esforço para ajudar a planejar o futuro. Apenas por meio de tal compromisso pessoal com o futuro, as americanas se libertarão da armadilha da vida como dona de casa e verdadeiramente serão realizadas como esposas e mães – ao desempenharem suas possibilidades únicas como seres humanos individuais.".[8]

Fui convidada a tornar-me diretora do centro de apoio às gestantes. Que oportunidade maravilhosa de servir ao Senhor! Ainda que meu marido não queira que eu aceite, acredito que Deus está me chamando para esse ministério. Devo obedecer a Deus antes de obedecer aos homens!

Se Deus quer que eu seja a diretora do centro de apoio às gestantes, ele mudará o coração de meu esposo (sem que eu fique atormentando-o ou importunando). Mais importante do que tornar-me diretora daquele centro de apoio é que a minha atitude diante do Senhor seja de uma pessoa consagrada, submetendo-me graciosamente à autoridade de meu marido (veja Efésios 5.22).

"Mulheres, assim como homens, encontram sua identidade apenas no trabalho em que empregam todas as suas capacidades.".[9]

Você acredita que nosso pastor não deixa minha amiga dar aula na sala dos casados na Escola Bíblica Dominical? Que ridículo! Ela é a melhor professora de toda a igreja!

De acordo com as Escrituras, as mulheres não devem ensinar, nem exercer autoridade de homem (veja 1 Timóteo 2.12-14). Ainda que minha amiga seja uma professora excelente, meu pastor está certo. Preciso apoiar sua decisão.

---

1. FRIEDAN, *The feminine mystique*, p. 71. – 2. Ibidem, p. 32. – 3. Ibidem, p. 326. – 4. Ibidem – 5. FRENCH, *The war against women*, p. 181. – 6. FRIEDAN, *The feminine mystique*, p. 232. – 7. Ibidem, p. 378. – 8. Ibidem, p. 336-37. – 9. Ibidem, p. 336.

Conforme estudamos as Escrituras e amadurecemos em nossa compreensão acerca do pensamento e das crenças piedosas, adquirimos mais discernimento sobre as formas erradas pelas quais temos sido influenciadas. Em vez de sermos atraídas pela fascinação da filosofia feminista que agrada nossos ouvidos, o autor de Hebreus escreveu que nossas faculdades serão "exercitadas para discernir não somente o bem, mas também o mal" (Hebreus 5.14).

Deus dá as seguintes ordens a todos os cristãos:

> Cuidado que ninguém vos venha a enredar com sua filosofia e vãs sutilezas, conforme a tradição dos homens, conforme os rudimentos do mundo e não segundo Cristo (Colossenses 2.8).

A única maneira de não sermos levadas cativas pelas crenças feministas é mediante o poder do Espírito Santo e a graça de Deus, capacitando-nos a estudar, a acreditar e a aceitar o que Deus nos disse em sua Palavra. O que Deus nos disse em sua Palavra é que mulheres não são vítimas. Fomos criadas à imagem de Deus com o propósito de proclamar as virtudes dEle (1 Pedro 2.9).

Deus, não os homens, determinou como seria melhor e em que função as mulheres deveriam render-Lhe glória. É uma alegria e um privilégio servir a Deus, mas podemos fazer isso corretamente apenas nos termos dEle. As crenças feministas conquistaram o mundo na década de 1960, e as feministas, nos anos recentes, intensificaram grandemente a sua retórica. Quando comparada à Palavra eterna de Deus, cuja flor jamais secará (veja Isaías 40.8), vemos que um dos problemas que as mulheres enfrentam hoje é a influência feminista.

Outro problema que as mulheres cristãs enfrentam hoje é o de seu papel dentro da igreja. Como veremos no próximo capítulo, a demanda por igualdade não cessa quando passamos pela porta da igreja.

Questões para Estudo

1. Como a filosofia feminista de Betty Friedan *agrada os ouvidos* das mulheres?

2. Quem é o psicólogo que influenciou fortemente o pensamento de Betty Friedan? Em que ele acreditava?

3. O que é a *mística feminina*? De acordo com a citação no início de capítulo, o que ela prende?

4. O que as feministas nos dias de Friedan queriam conquistar? O que as feministas de hoje querem conquistar?

5. De quem é a culpa pela lamentável condição das mulheres, segundo Marilyn French?

6. Leia toda a ilustração 9.1 e faça uma lista das maneiras segundo as quais você acha que tem sido influenciada a pensar errado. Para cada maneira que você alistar escreva como as Escrituras lhe dizem para mudar.

7. Colossenses 2.8 nos diz para não sermos enredadas pelo quê?

8. Diante deste estudo, qual é a sua oração?

10

Você quer que eu faça o quê?

O PAPEL DAS MULHERES NA IGREJA

Deus é nosso Criador. Somos suas *criaturas*. Esse é um conceito maravilhosamente simples, mas, profundo. Este é um ensino muito claro por toda a Escritura. Por essa razão existimos. Isso dá à nossa vida significado e propósito. Lembro que quando eu era criança e estudava numa escola pública de ensino fundamental, deram-me a tarefa de memorizar o salmo 100. Por causa do meu coração incrédulo, seria o mesmo que memorizar qualquer outro poema. Contudo, desde que tornei-me cristã, as palavras desse amado salmo têm assumido uma nova profundidade de significado: "Sabei que o SENHOR é Deus; foi ele quem nos fez, e dele somos..." (Salmos 100.3).

Enquanto recém-convertida, havia ocasiões quando me perguntava o que Deus estaria fazendo e, às vezes, isso me afligia. Isto é, afligiu-me até que encontrei Romanos 9:

> Tu, porém, me dirás: De que se queixa ele ainda? Pois quem jamais resistiu à sua vontade? Quem és tu, ó homem, para discutires com Deus?! Porventura, pode o objeto perguntar a quem o fez: Por que me fizeste assim? Ou não tem o oleiro direito sobre a massa, para do mesmo barro fazer um vaso para honra e outro, para desonra? (Romanos 9.19-21).

A autoridade de Deus sobre suas criaturas é clara. Ele é o oleiro e nós, o barro. Ele é nosso Mestre, e devemos servi-Lo como Lhe agrada. Por meio de sua Palavra Ele revelou o que deseja que saibamos e façamos e, não importa o que aconteça, somos assegurados de que sua vontade para nós é boa, agradável e perfeita. Então, em vez de reagir a sua Palavra com respostas do tipo: "Você quer que eu faça o *quê*? nossa obrigação é curvarmo-nos humildemente diante dEle, e agir como o salmista escreveu: "Servi ao Senhor com alegria" (Salmos 100.2). É somente quando compreendemos e lembramos da autoridade de Deus sobre nós que conseguimos considerar os meios bíblicos específicos pelos quais as mulheres têm o privilégio de servi-Lo.

Meios pelos quais as mulheres devem servir a Deus

Servir a Deus *começa* com o fundamento de haver nascido de novo e *resulta* no alvo final de proclamar "as virtudes daquele que vos chamou das trevas para a sua maravilhosa luz" (1 Pedro 2.9). Examine superficialmente a ilustração 10.1, começando pelo fim e indo até o começo. Depois exploraremos cada passo.

Nascer de novo é uma obra sobrenatural de Deus mediante a qual Ele concede fé salvífica, arrependimento e purificação do pecado. Quando Deus salva, Ele dá às pessoas um novo nascimento espiritual (veja 1 Pedro 1.3-5). Assim, o resultado desta vida espiritual é o despertar de pessoas anteriormente mortas em "delitos e pecados" (Efésios 2.1). Como consequência, elas têm um novo coração para acreditar em Deus, confiar nEle e desejar sua glória.

A única base sobre a qual Deus salva o homem pecador é a morte do Senhor Jesus na cruz como punição do pecado. Quando falou com o líder religioso, Nicodemos, o Senhor Jesus fez uma das mais amadas promessas em toda a Escritura.

> Porque Deus amou ao mundo de tal maneira que deu o seu Filho unigênito, para que todo o que nele crê não pereça, mas tenha a vida eterna" (João 3.16).

Então, é apenas por intermédio desse processo fundamental dado por Deus que qualquer pessoa pode começar a amadurecer em sua habilidade de servir ao Senhor, qualquer que seja a sua função. Primeiro Jesus disse: "Em verdade, em verdade te digo que, se alguém não nascer de novo, não pode ver o reino de Deus" (João 3.3).

Depois que um bebê nasce, ele anseia pelo leite de sua mãe. De uma forma muito parecida, um cristão recém-nascido anseia pelo leite da Palavra de Deus (veja 1 Pedro 2.2). Bebês cristãos crescem ao estudar e reter a doutrina bíblica. Quanto mais eles estudam, maior é seu *conhecimento geral de doutrina*. (A doutrina bíblica é simplesmente o que a Bíblia ensina sobre qualquer tópico em particular.) Então, um cristão precisa de um conhecimento básico de assuntos como o caráter de Deus, a trindade, o pecado, a criação, o evangelho e a santificação (assim nós crescemos). Assim, a Escritura é *"útil para o ensino...* a fim de que o homem de Deus seja perfeito e perfeitamente habilitado para toda boa obra" (2 Timóteo 3.16-17). Um conhecimento geral da doutrina bíblica habilita os cristãos para servirem ao Senhor.

Ilustração 10.1 – Maneiras específicas de servirmos ao Senhor

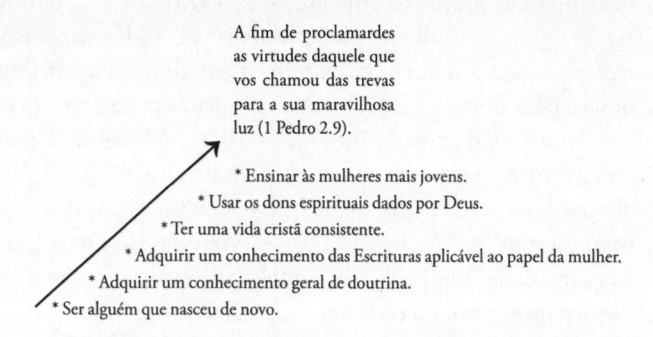

A fim de proclamardes as virtudes daquele que vos chamou das trevas para a sua maravilhosa luz (1 Pedro 2.9).

* Ensinar às mulheres mais jovens.
* Usar os dons espirituais dados por Deus.
* Ter uma vida cristã consistente.
* Adquirir um conhecimento das Escrituras aplicável ao papel da mulher.
* Adquirir um conhecimento geral de doutrina.
* Ser alguém que nasceu de novo.

Parte de estar habilitado para servir ao Senhor é obter um *conhecimento das Escrituras especificamente aplicável ao papel da mulher*. Deus deu diretrizes claras para as mulheres seguirem a respeito da sua função que Ele tem para elas, quer seja "a esposa respeite ao marido", "Não seja o adorno da esposa o que é exterior", ou "E não permito que a mulher ensine, nem exerça autoridade de homem" (Efésios 5.33; 1 Pedro 3.3; 1 Timóteo 2.12).

Ao contrário do que algumas pessoas podem pensar, diferenciar funções para homens e mulheres não é degradante para elas. As funções simplesmente são diferentes. Aceitar alegremente a função que Deus deu a você é vital para *ter uma vida cristã consistente*. Uma mulher que está tendo uma vida cristã consistente é casta e pura. Ela tem um desejo de agradar a Deus. Ela é humilde, receptiva ao ensino e não é agitada "de um lado para outro... por todo vento de doutrina" (Efésios 4.14). Ela está consistente e continuamente crescendo "na graça e no conhecimento de nosso Senhor e Salvador Jesus Cristo" (2 Pedro 3.18).

Quando uma mulher tem uma vida cristã consistente, ela também honra a Deus *usando os dons espirituais* que Deus lhe deu (Efésios 4.11-13). Quer seja ensinando, exortando, servindo ou evangelizando, ela usa seus dons para a edificação dos santos. Seus dons são empregados para ajudar outros a tornarem-se o mais parecidos possível com o Senhor Jesus Cristo.

Quando as cristãs amadurecem, elas tornam-se o tipo de mulher mais velha descrito em Tito 2: "Sérias em seu proceder, não caluniadoras, não escravizadas a muito vinho; sejam mestras do bem, a fim de instruírem as jovens recém-casadas..." (Tito 2.3-4). Há uma função especial para as mulheres piedosas mais velhas de *instruírem as jovens recém-casadas* "a amarem ao marido e a seus filhos, a serem sensatas, honestas, boas donas de casa, bondosas, sujeitas ao marido" (Tito 2.4-5).

Todos os passos da ilustração 10.1, "Maneiras específicas de servirmos ao Senhor", apontam para um objetivo: "A fim de proclamardes as virtudes daquele que vos chamou das trevas para a sua maravilhosa luz" (1 Pedro 2.9). As virtudes de Deus (tais como a sua santidade, seu poder, sua fidelidade e sua soberania) são o que O tornam superior a toda a sua criação. Ao aprender sobre Ele, falar aos outros sobre Ele e viver de maneira a trazer-Lhe prazer, estamos mostrando ao mundo que o Deus Altíssimo é verdadeiramente digno de nosso objetivo de trazer honra a Ele.

Servindo como Ele escolhe que sirvamos

A vida cristã cotidiana é de grande alegria e expectativa a respeito do que Deus está fazendo em nós e por meio de nós para realizar seu maravilhoso desígnio para sua criação. É um privilégio que nos torna incrivelmente humildes, quando servimos em qualquer modo escolhido por Ele. As mulheres *devem* usar seus dons espirituais e fazer boas obras, mas devem usar seus dons dentro das diretrizes da Palavra de Deus. Para entender melhor essas diretrizes, consideremos as Escrituras:

Textos principais concernentes ao papel da mulher na igreja

> Também disse Deus: Façamos o homem à nossa imagem, conforme a nossa semelhança; tenha ele domínio sobre os peixes do mar, sobre as aves dos céus, sobre os animais domésticos, sobre toda a terra e sobre todos os répteis que rastejam pela terra (Gênesis 1.26).

O Deus trino está falando aqui: "*Façamos... à nossa* imagem". Essa é uma afirmação *geral* a respeito do que Deus planejou fazer. No plano de Deus, eles (homens e mulheres) deveriam dominar sobre a criação que Deus preparou para eles. Essa é uma afirmação resumida, não um tratado específico detalhando funções específicas.

> Criou Deus, pois, o homem à sua imagem, à imagem de Deus o criou; homem e mulher os criou (Gênesis 1.27).

Mais uma vez, essa é outra afirmação geral. Mais dos detalhes específicos sobre Deus criando Adão e Eva são explicados em Gênesis 2, mas aqui, no capítulo 1, Deus está simplesmente explicando que *Ele* criou o homem (no sentido de toda a humanidade) à sua imagem. Algumas pessoas são homens e algumas, mulheres.

Em Gênesis 2, são dados alguns dos detalhes específicos da criação do primeiro homem e da primeira mulher. Deus formou o primeiro homem, Adão, do pó da terra, depois, soprou vida dentro de Adão:

Então, formou o SENHOR Deus ao homem do pó da terra e lhe soprou nas narinas o fôlego de vida, e o homem passou a ser alma vivente (Gênesis 2.7).

Mesmo com todos os animais ao seu redor, não havia companhia para Adão:

Disse mais o SENHOR Deus: Não é bom que o homem esteja só; far-lhe-ei uma auxiliadora que lhe seja idônea (Gênesis 2.18).

Então, Deus tirou uma das costelas de Adão e formou a primeira mulher, Eva. Adão ficou maravilhosamente encantado e a chamou de "mulher". A função de Eva era ser, para Adão, uma auxiliadora idônea. Desde o começo, a mulher foi criada para ser uma auxiliadora e uma companhia para seu esposo. A intenção original de Deus era que Eva tivesse um papel diferente do de Adão. "Deus fez do homem, a cabeça, e da mulher, a auxiliadora. É Deus quem quer que os homens sejam homens, e as mulheres, mulheres; e Ele pode nos ensinar o significado de cada um, se quisermos ser ensinados... A masculinidade e a feminilidade identificam seus papéis".[1] Deus criou o homem para liderar, e a mulher, para ajudar e seguir.

Mas a serpente, mais sagaz que todos os animais selváticos que o SENHOR Deus tinha feito, disse à mulher: É assim que Deus disse: Não comereis de toda árvore do jardim? Respondeu-lhe a mulher: Do fruto das árvores do jardim podemos comer, mas do fruto da árvore que está no meio do jardim, disse Deus: Dele não comereis, nem tocareis nele, para que não morrais. Então, a serpente disse à mulher: É certo que não morrereis. Porque Deus sabe que no dia em que dele comerdes se vos abrirão os olhos e, como Deus, sereis conhecedores do bem e do mal. Vendo a mulher que a árvore era boa para se comer, agradável aos olhos e árvore desejável para dar entendimento, tomou-lhe do fruto e comeu e deu também ao marido, e ele comeu (Gênesis 3.1-6).

Eva acreditou que Deus estava negando-lhe alguma coisa. Ela começou a duvidar da bondade de Deus. Assim como Satanás desejou, em seu coração, ser igual a Deus, Eva também desejou. Ela rebelou-se contra seu criador. Contudo, diferente de Eva, que foi enganada, Adão sabia muito bem o que estava fazendo. Ele seguiu Eva no pecado, e quando deu esse passo, arrastou-nos junto consigo. Que triste. Por ser o pecado contrário à natureza de Deus, Ele pronunciou um rápido e devastador juízo, primeiro sobre Satanás, depois, sobre Adão e, por último, sobre Eva:

> E à mulher disse: Multiplicarei sobremodo os sofrimentos da tua gravidez; em meio de dores darás à luz filhos; o teu desejo será para o teu marido, e ele te governará (Gênesis 3.16).

Parte do juízo de Deus foi direcionado especificamente para Eva. Agora, seu desejo seria o de passar à frente de seu marido, contudo, Adão dominaria sobre ela. A autoridade do homem sobre sua esposa continuaria assim como foi desde o começo, mas, agora, ela incluiria uma luta pecaminosa entre esposo e esposa. O que antes havia sido um alegre cumprimento de papéis tornou-se um jogo de poder para obter o controle. Em 1 Coríntios, o apóstolo Paulo falou com esmero sobre as funções dos homens e das mulheres:

> Quero, entretanto, que saibais ser Cristo o cabeça de todo homem, e o homem, o cabeça da mulher, e Deus, o cabeça de Cristo... Porque, na verdade, o homem... [é a] imagem e glória de Deus, mas a mulher é glória do homem. Porque o homem não foi feito da mulher, e sim a mulher, do homem. Porque também o homem não foi criado por causa da mulher, e sim a mulher, por causa do homem... No Senhor, todavia, nem a mulher é independente do homem, nem o homem, independente da mulher. Porque, como provém a mulher do homem, assim também o homem é nascido da mulher; e tudo vem de Deus (1 Coríntios 11.3, 7-9, 11-12).

Nessa parte das Escrituras, o apóstolo Paulo deixa claro que a esposa está sob a autoridade de seu esposo, e que o esposo está sob a autoridade de Cristo. A estrutura dessa autoridade é vista na ilustração 10.2:

Alguns acreditam que o apóstolo Paulo era chauvinista por causa da cultura romana de seus dias. Contudo, Paulo baseia evidentemente sua declaração de que "a mulher foi criada por causa do homem" na *intenção original* de Deus, não na maneira como os romanos tratavam as mulheres. Gênesis diz, de forma clara, que a mulher foi criada por causa do homem. Essa simplesmente é a função que lhe foi dada por Deus, naquele tempo e agora:

> Conservem-se as mulheres caladas nas igrejas, porque não lhes é permitido falar; mas estejam submissas como também a lei o determina. Se, porém, querem aprender alguma coisa, interroguem, em casa, a seu próprio marido; porque para a mulher é vergonhoso falar na igreja (1 Coríntios 14.34-35).

Com certeza, esses versos incitariam qualquer inclinação feminista latente que alguém pode ter! Sim, incitariam a inclinação até ao ponto da ira. Bem, antes de ficarmos agitadas demais, pensemos sobre o que estava acontecendo em Corinto. Os cristãos coríntios estavam competindo por atenção com dons "pomposos" (falando em línguas e profetizando). Consequentemente, eles estavam criando caos e desordem nas igrejas. Paulo escreveu que independentemente de como usavam seus dons, eles deveriam ser exercitados para a edificação de outros crentes, de um modo ordeiro, com um intérprete, ou que se mantivessem em silêncio. No que diz respeito às mulheres expressando suas opiniões, elas estavam na igreja para aprender e não para criar confusão ou para usurpar a posição de ensino dos presbíteros. A explicação de Paulo em 1 Coríntios 14 concernente ao papel das mulheres na igreja também é consistente com o que Ele escreveu em 1 Timóteo 2.11 (que discutiremos em seguida) e, é claro, é consistente com a intenção original de Deus, a qual vimos com clareza em Gênesis 1-3.

Ilustração 10.2 – A estrutura da autoridade em 1 Coríntios 11

* Deus
  - Cristo
    - Homem
    - Mulher
      - Sob a autoridade do homem (v.3).
      - A glória do homem (v.7).
      - Criada por causa do homem (v. 9).

Da mesma sorte, que as mulheres, em traje decente, se ataviem com modéstia e bom senso, não com cabeleira frisada e com ouro, ou pérolas, ou vestuário dispendioso, porém com boas obras (como é próprio às mulheres que professam ser piedosas). A mulher aprenda em silêncio, com toda a submissão. E não permito que a mulher ensine, nem exerça autoridade de homem; esteja, porém, em silêncio. Porque, primeiro, foi formado Adão, depois, Eva. E Adão não foi iludido, mas a mulher, sendo enganada, caiu em transgressão. Todavia, será preservada através de sua missão de mãe, se ela permanecer em fé, e amor, e santificação, com bom senso (1 Timóteo 2.9-15).

Nessa parte de 1 Timóteo, Paulo, mais uma vez, faz referência à ordem da criação ("primeiro, foi formado Adão, depois, Eva"). Todas as mulheres cristãs são filhas de Eva no sentido de que corremos o risco de sermos enganadas e de enganar os outros no que se refere à doutrina bíblica. Pelo menos dois pontos são muito claros. Primeiro, as mulheres não devem ter autoridade sobre os homens na igreja. Posições de autoridade sobre os homens incluiriam ser pastor e/ou ter um cargo entre os presbíteros ou na liderança da igreja. Em segundo lugar, as mulheres não devem ensinar doutrina bíiblica aos homens. Isso incluiria pregar e dar estudos bíblicos.

Com certeza, as mulheres podem ser professoras excepcionalmente dotadas, então, como podem usar seu dom de ensino? A resposta é que elas devem ensinar às mulheres, como vemos em Tito 2.1-55:

Tu, porém, fala o que convém à sã doutrina. Quanto aos homens idosos, que sejam temperantes, respeitáveis, sensatos, sadios na fé, no amor e na constância. Quanto às mulheres idosas, semelhantemente, que sejam sérias em seu proceder, não caluniadoras, não escravizadas a muito vinho; sejam mestras do bem, a fim de instruírem as jovens recém-casadas a amarem ao marido e a seus filhos, a serem sensatas, honestas, boas donas de casa, bondosas, sujeitas ao marido, para que a palavra de Deus não seja difamada.

Paulo escreveu essa carta para Tito, que estava supervisionando a igreja da ilha de Creta. Ele deu a Tito instruções específicas a respeito de crentes qualificados e maduros de ambos os sexos e todas as idades. Entre essas instruções, está a parte escrita para as mulheres mais velhas. Tito disse-lhes que o caráter delas deve ser excelente, de forma que não venham a desonrar a Palavra de Deus. Elas *não deveriam ser* fofoqueiras ou ébrias, mas *deveriam ser* piedosas em seu comportamento, assim como professoras e encorajadoras das mulheres mais jovens.

As mulheres nessas igrejas não eram consideradas cidadãs de segunda classe. De fato, se elas fossem realmente piedosas, teriam a responsabilidade de dedicar sua vida à vida das mulheres mais jovens. Criar uma família não era a finalidade única dentre os compromissos de uma esposa e mãe, mas apenas o ponto de partida e a base de treinamento para a segunda fase do ministério da mulher – ou seja, o ministério de ensinar as mulheres mais jovens.

Além do comportamento externo que as mulheres piedosas devem ter, elas também devem possuir um adorno interior imarcescível:

> Mulheres, sede vós, igualmente, submissas a vosso próprio marido, para que, se ele ainda não obedece à palavra, seja ganho, sem palavra alguma, por meio do procedimento de sua esposa, ao observar o vosso honesto comportamento cheio de temor. Não seja o adorno da esposa o que é exterior, como frisado de cabelos, adereços de ouro, aparato de vestuário; seja, porém, o homem interior do coração, unido ao incorruptível trajo de um espírito manso e tranquilo, que é de grande valor diante de Deus. Pois foi assim também que a si mesmas se ataviaram, outrora, as santas mulheres

que esperavam em Deus, estando submissas a seu próprio marido, como fazia Sara, que obedeceu a Abraão, chamando-lhe senhor, da qual vós vos tornastes filhas, praticando o bem e não temendo perturbação alguma (1 Pedro 3.1-6).

O apóstolo Pedro disse às esposas, portanto, às mulheres, que a verdadeira beleza é um espírito manso e tranquilo. Uma mulher com um espírito manso e tranquilo não é inclinada ao medo ou à ira. Ela também não luta nem argumenta com Deus. Em vez disso, ela aceita os procedimentos de Deus para com ela como bons. Além de ter um espírito manso e tranquilo, Pedro exortou suas leitoras originais, e a nós, a sermos como as mulheres consagradas de antigamente que esperavam em Deus, fazendo "o bem e não temendo perturbação alguma".

Agora que vimos maneiras específicas de as mulheres servirem ao Senhor, e havendo considerado os textos bíblicos concernentes ao papel das mulheres, pensemos sobre as restrições em nossa ação de servir.

As restrições que a mulher encontra ao servir

Como já vimos, Deus é a autoridade soberana sobre sua criação, e isso inclui as funções dos homens e das mulheres. O Novo Testamento oferece mais detalhes quanto ao papel da mulher que são perfeitamente consistentes com a intenção original de Deus. A maneira pela qual as mulheres devem usar seus dons espirituais é uma vontade expressa de Deus. E sabemos, a partir de Romanos 12.2 que a vontade de Deus é sempre "boa, agradável e perfeita". Com isso em mente, considere a ilustração 10.3, a qual descreve as restrições bíblicas. Leia de baixo para cima e tenha em mente que o objetivo geral é o mesmo de antes: "A fim de proclamardes as virtudes daquele que vos chamou das trevas para a sua maravilhosa luz" (1 Pedro 2.9).

Quando comparamos essas restrições com o diagrama anterior (ilustração 10.1) sobre como as mulheres devem servir, parece que há tanto para as mulheres fazerem que nossas restrições, em comparação, diminuem-se. Não deveríamos buscar ensinar e ter posições de autoridade sobre os homens na igreja, mas deveríamos ter grande alegria nas formas como Deus nos usa. Afinal de contas, porque deveríamos buscar ter preeminência ou até igualdade, quando temos o exemplo de nosso Senhor Jesus submetendo a Si próprio à vontade do Pai? (veja Filipenses 2.5-8)

O ministério de uma mulher na igreja é uma extensão de seu ministério em casa e em sua comunidade. A intenção original de Deus não mudou e nunca mudará. É claro que muitas vezes os homens tiram vantagem das mulheres, mas acredito que as Escrituras têm oferecido meios bíblicos de proteger as mulheres. Nas circunstâncias em que uma mulher sofre por causa de um homem exercendo sua autoridade sobre ela pecaminosamente, ela (assim como o seu Senhor, ainda que num nível bem menor) estará sofrendo por causa da justiça (veja Mateus 5.10-12).[2]

Ilustração 10.3 – O que Deus ordena

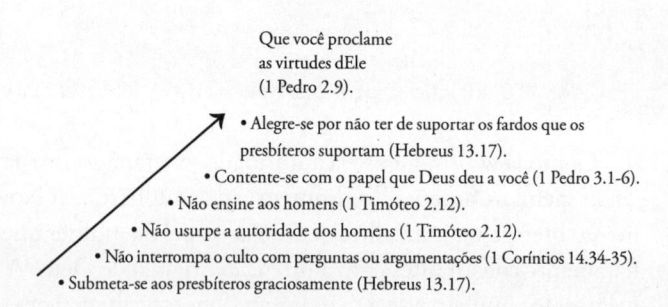

Que você proclame
as virtudes dEle
(1 Pedro 2.9).

- Alegre-se por não ter de suportar os fardos que os presbíteros suportam (Hebreus 13.17).
- Contente-se com o papel que Deus deu a você (1 Pedro 3.1-6).
- Não ensine aos homens (1 Timóteo 2.12).
- Não usurpe a autoridade dos homens (1 Timóteo 2.12).
- Não interrompa o culto com perguntas ou argumentações (1 Coríntios 14.34-35).
- Submeta-se aos presbíteros graciosamente (Hebreus 13.17).

Conclusão

Satanás buscou usurpar a autoridade de Deus. Eva *usurpou* a autoridade de Deus e de Adão, mas não precisamos ser como eles. Para aquelas que estão em Cristo, existe a graça sobrenatural dEle, pela qual devemos ser gratas, e na qual nos alegramos; assim, sejamos contentes com o papel que Ele nos deu. Para todas as coisas que somos impedidas de fazer, há muito mais coisas que deveríamos estar fazendo. Deveríamos ser tão *boas quanto possível* nas tarefas e responsabilidades que Deus nos tem dado. Parece-me que, em vez de lutar com Deus sobre a questão da função da mulher, e perguntar: "Você quer que eu faça o *quê*? deveríamos ser gratas a Ele por nos dar vida e por definir nosso papel. Deveríamos servi-Lo alegremente e olhar para as Escrituras em busca da intenção de Deus claramente definida a respeito de como as mulheres devem moldar sua vida. As mulheres cristãs devem usar seus dons espirituais, mas devemos usá-los como Deus planejou. Afinal, Ele é o nosso Criador.

Questões para Estudo

1. De acordo com os parágrafos introdutórios neste capítulo, qual é nossa obrigação para com Deus?
2. Aliste os passos (de baixo para cima) das maneiras específicas em que *devemos* servir ao Senhor. Para cada passo dê uma referência bíblica.
3. O que significa proclamar as virtudes de Deus? (veja 1 Pedro 2.9)
4. Descreva a vida cristã comum (veja: "Servindo como Ele escolhe que sirvamos" e parágrafos seguintes).
5. Faça a correspondência:

Uma afirmação geral a respeito do que Deus planejou fazer ao criar a humanidade.	Gênesis 2.18
Uma afirmação específica a respeito de Deus quando criou Adão.	Gênesis 3.1-6
A razão pela qual Deus criou Eva.	Gênesis 2.7
O incidente que fez Eva acreditar que Deus estava negando-lhe alguma coisa.	Gênesis 3.16
O juízo de Deus sobre Eva.	Gênesis 1.26

6. De acordo com 1 Coríntios 11.3-16, por que a mulher foi criada?

7. De acordo com 1 Timóteo 2.9-15, como é adornada uma mulher piedosa? Por que Paulo diz que as mulheres não devem ensinar ou exercer autoridade sobre os homens na igreja?

8. Qual trecho bíblico deixa claro o que as mulheres mais velhas devem ensinar às mais jovens?

9. O que significa ter "um espírito manso e tranquilo"? (veja 1 Pedro 3.1-7)

10. Aliste quatro coisas que delimitam o trabalho das mulheres na igreja (dica: veja as quatro últimas frases da ilustração "O que Deus ordena").

11. De acordo com a ilustração "O que Deus ordena", quais são as responsabilidades das mulheres na igreja?

12. Como você tem sido influenciada a pensar errado sobre seu papel como cristã na igreja? Como você deveria mudar?

11 Ser grata? Você não pode estar falando sério!

PROVAÇÕES

"*Por que eu?*" "*Por que Deus* não faz alguma coisa?" "Por que Deus está deixando isto acontecer conosco?" "Por que Deus deixa crianças pequenas morrerem?" "Por que Deus ficou parado e não impediu o massacre dos judeus na Alemanha nazista ou a morte de três mil pessoas inocentes no onze de setembro em Nova Iorque? "Por que...?" "Por que...?" "Por que...?"

Perguntar o porquê das coisas é comum quando as pessoas passam por provações. Embora seja possível ter um motivo inocente ao perguntar a razão de algo, muitas pessoas perguntam por estarem chateadas com Deus. Algumas concluem que não deve haver um Deus. Outras acreditam que há um Deus, mas que Ele deve ser fraco para evitar provações. Ainda existem aquelas que pregam e ensinam que temos de perdoar a Deus.

Todas essas conclusões têm uma coisa em comum: são blasfemas. Elas difamam o caráter de Deus, acusando-O de não ser bom. Das muitas mulheres que aconselhei, houve algumas que estavam em circunstâncias extremamente difíceis, mas apesar de suas circunstâncias, eram gratas a Deus pelo que Ele estava fazendo e pelo modo como estava ajudando-as. As provações delas eram catastróficas e ainda assim elas experimentavam a paz de Deus. Por outro lado, algumas mulheres estavam iradas e emocionalmente perturbadas. Entretanto, a dor emocional delas ultrapassava muito os limites do que era esperado em sua provação tão pequena. Esse segundo grupo de mulheres estava munido de duas crenças: Elas não estavam persuadidas da bondade de Deus, e não eram gratas a Ele. Em vez da paz de Deus, elas experimentavam frustração, medo e amargura. Desesperadas por alívio de sua dor emocional, elas não davam glória a Deus. Em vez disso, culpavam-No.

A fim de tirar algum sentido das provas que todos experimentamos, consideremos três princípios bíblicos que nos ensinam sobre Deus e sobre o que Ele está fazendo em nossa vida.

OS PROPÓSITOS DE DEUS E NOSSAS PROVAÇÕES

O primeiro princípio é que Deus é soberano. "No céu está o nosso Deus e tudo faz como lhe agrada" (Salmos 115.3). Assim como o oleiro molda o barro, Deus nos criou e, portanto, tem autoridade sobre nós, quer gostemos ou não. Ele é a autoridade mais elevada, e governa ativamente todas as suas criaturas e toda a sua criação. Por exemplo, sua mão soberana está sobre o clima, assim como está sobre um semáforo que não está funcionando. As Escrituras também nos ensinam que nós (suas criaturas) fomos criados para a "glória" de Deus (Isaías 43.7). Portanto, a fim de glorificá-Lo, devemos nos submeter a sua mão soberana.

Isso nos leva ao segundo princípio. Deus decidiu (decretou) como podemos glorificá-Lo melhor. A única maneira de dar glória a Deus é tornar-se mais e mais como Ele. Deus usa as circunstâncias em nossa vida para nos provar e nos moldar à sua imagem. As Escrituras deixam claro que "aos que de antemão conheceu, também os predestinou para serem conformes à imagem de seu Filho" (Romanos 8.29). De fato, não há nada que aconteça conosco por acaso ou em vão. "*Todas as coisas* cooperam para o bem daqueles que amam a Deus..." (Romanos 8.28).

"Todas as coisas" incluem bênçãos como as habilidades que Ele deu a nós, a nossa família e nossos amigos, ou um belo pôr do sol. Nossa vida e nossa respiração também são bênçãos. A salvação é a bênção mais admirável de todas. Através da salvação Deus nos mostra sua misericórdia, santidade, excelência e nossa completa incapacidade de salvarmos a nós mesmas (Efésios 2.8-9).

Além de bênçãos, "todas as coisas" também incluem o pecado. Deus não é o autor do pecado, nós somos; Ele permite que outros pequem contra nós, e usa isso para seus propósitos. José fez com que esse ponto fosse claramente compreendido quando disse aos seus irmãos: "Vós, na verdade, intentastes o mal contra mim; porém Deus o tornou em bem..." (Gênesis 50.20).

Outra maneira de Deus fazer "todas as coisas" cooperarem para nosso bem é quando Ele inclina o coração do rei (Provérbios 21.1). Ele endurece e suaviza corações. Então, não importa se era o coração duro do faraó que não deixava os judeus saírem da escravidão do Egito; ou se era o coração gentil de um faraó anterior que *deixou* José sair da prisão e o tornou governador do Egito; Deus age sobre sua criação para realizar o seu propósito – sua glória. Como resultado secundáario de sua glória, foi dado aos crentes um coração novo, que é capaz de proclamar as excelências dEle independentemente das circunstâncias.

O terceiro princípio é que Deus às vezes nos testa e, quando Ele o faz, tem um propósito ou propósitos definidos. O teste pode ser a morte inesperada de uma pessoa amada ou uma longa e difícil doença em você mesma. Talvez o seu filho tenha um ataque de fúria para todos no supermercado verem e ouvirem! Esposos deixam esposas por outras mulheres. Pessoas são assaltadas na rua. Sabemos que essas provações são para a glória dEle e para o nosso bem. Entretanto, o que mais podemos saber dos propósitos dEle para as provações em nossa vida?

Um propósito que Deus pode ter ao nos fazer passar por uma provação é nos podar a fim de que produzamos mais frutos para sua glória. Em João 15, o Senhor Jesus compara a Si mesmo com uma videira e a nós com os ramos. Deus Pai é o agricultor que corta os ramos mortos e limpa os ramos vivos para que deem mais fruto. Eu pensaria que, se uma planta ou árvore pudesse sentir dor, seria doloroso demais ter um ramo cortado fora. Eventualmente, contudo, a dor seria esquecida conforme o ramo limpo produzisse lindos botões que logo se tornariam frutos. Para aqueles que permanecem na Palavra de Deus, uma ação semelhante a essa, da limpeza dos ramos, com certeza acontecerá. Às vezes, essa limpeza é processada por uma provação. Provações geralmente trazem à tona o pior em nós: ira, amargura, medo, preguiça, egocentrismo, etc. Mas, felizmente, esse "pior" é tornado limpo quando Deus nos convence de nosso pecado e nos ajuda a deixar o pecado e seguir a justiça. A dor da ação de podar efetuada por Deus terá fim quando os frutos da justiça desabrocharem para todos verem.

Um segundo propósito que Deus pode ter ao nos testar é nos disciplinar, para o nosso bem. Penso que isso é semelhante a ser podado. Ser disciplinado dói e é constrangedor. Felizmente para nós, Deus possui um motivo puro e um coração compassivo. Ele disciplina aqueles a quem ama. Como resultado, Ele não deixará que continuemos indefinidamente em nosso pecado. Você sabe, Ele quer que sejamos "participantes da sua santidade" (Hebreus 12.10). Hebreus 12 explica que, assim como o podar, a disciplina "no momento não parece ser motivo de alegria, mas de tristeza"; contudo, também como a poda, "ao depois... produz fruto pacífico... fruto de justiça" (Hebreus 12.11). Se você passa por uma provação como uma consequência de seu próprio pecado, é a disciplina de Deus sobre você – quer seja passar um tempo na cadeia, quer seja experimentar um distúrbio emocional. Ele faz o que é necessário para que você Lhe dê glória.

Além de ser podada e disciplinada mediante provações, Deus nos dá oportunidades especiais de ver se a nossa fé é genuína (veja 1 Pedro 1.7). É fácil agir como uma cristã e ser amável para com os outros, quando as coisas estão acontecendo como a gente quer; mas, quão fácil é quando riem de você por causa de sua fé ou quando está traumatizada porque sua casa queimou até ao chão? Todas as provações, grandes ou pequenas, nos dão uma oportunidade imediata de provar a quem realmente adoramos e servimos – o nosso conforto ou o nosso Senhor? O apóstolo Pedro escreveu aos cristãos, advertindo-os de que se preparassem para a perseguição, e orou para que a provação da fé daqueles crentes *provasse* que ela era genuína e *resultasse* em louvor, glória e honra para Deus (veja 1 Pedro 1.7).

Deus tem todos esses propósitos nas provações (podar, disciplinar e testar nossa fé) para nos fazer crescer. De fato, Tiago escreveu aos cristãos:

> Meus irmãos, tende por motivo de toda alegria o passardes
> por várias provações, sabendo que a provação da vossa fé, uma

vez confirmada, produz perseverança. Ora, a perseverança deve ter ação completa, para que sejais perfeitos e íntegros, em nada deficientes (Tiago 1.2-4).

Desde que Deus revelou, mediante as Escrituras, alguns de seus santos e elevados propósitos para nos provar, qual, então, é nossa obrigação? Nossa obrigação é sermos gratas a Deus, é estarmos plenamente persuadidas de sua bondade, e percebermos o quanto Ele nos ama.

Uma pessoa grata a Deus está sempre agradecendo por tudo (veja 1 Tessalonicenses 5.18). Ser grata é semelhante a amar alguém. Às vezes, você *sente* como se amasse a outra pessoa, mas, às vezes, você *mostra* amor independentemente de como se sente. Gratidão para com Deus é tanto pensamento quanto ação. Ela pode ou não incluir um sentimento maravilhoso de gratidão. Não obstante como você se sente, o mandamento de Deus é claro:

> Seja a paz de Cristo o árbitro em vosso coração, à qual, também, fostes chamados em um só corpo; e sede *agradecidos*. Habite, ricamente, em vós a palavra de Cristo; instruí-vos e aconselhai-vos mutuamente em toda a sabedoria, louvando a Deus, com salmos, e hinos, e cânticos espirituais, *com gratidão*, em vosso coração. E tudo o que fizerdes, seja em palavra, seja em ação, fazei-o em nome do Senhor Jesus, *dando por ele graças* a Deus Pai (Colossenses 3.15-17).

Quando nossa igreja era nova e nossa congregação, pequena, ninguém tocava piano, exceto eu. Era difícil para eu tocar piano, pois este não é exatamente meu maior dom. Apesar disso, eu era a pianista nomeada. O Senhor ensinou-me muito sobre humildade durante aquele tempo, mas um domingo em particular se destaca em minha mente – foi o primeiro domingo em que alugamos um espaço numa escola. Eu estava ansiosa por aquele domingo porque pensava que o piano deles era melhor que o anterior. Uma nota apenas foi suficiente para descobrir o contrário. As teclas eram desiguais, ele estava grosseiramente fora de tom, e soava como um piano de bar. Enquanto o ministro de música e eu praticávamos antes da escola dominical, pensei: *Senhor, por quê? Por que não podemos ter um piano parcialmente decente? A igreja da esquina nem acredita que a tua Palavra é verdade, e eles têm um Steinway de dois metros!*

Conforme eu lutava em meus pensamentos sobre o que Deus estava fazendo, comecei a chorar. Jerry Gunter, nosso ministro de música, não pôde deixar de perceber. Ele parou de cantar e se aproximou do piano. Ele disse: "Acho que precisamos orar". Em lágrimas, acenei com a cabeça. A oração dele foi mais ou menos assim: "Senhor, *obrigado* por este piano". Fiquei confusa e, como se aquilo não fosse suficiente, ele acrescentou: "E oro para que Martha arrependa-se de seu orgulho". Eu não me arrependi naquele momento, mas parei de chorar. Mais tarde, em vez de concentrar-me na lição da escola bíblica, continuei a lutar com o Senhor em meus pensamentos. Finalmente, percebi o meu pecado, e com um coração contrito, pensei: *Senhor, perdoa-me por estar irada sobre o piano. Obrigada pelo piano e por me provar.*

Eu havia sido pega de surpresa por esse pequeno teste que até era insignificante, e falhei miseravelmente. Contudo, mesmo que tenha parecido uma falha tão miserável, Deus estava ensinando-me que *sempre* devo ser grata, não importa o que aconteça comigo ou com alguém que eu amo. Se meu primeiro pensamento tivesse sido: *Eu devo ser grata por todas as coisas. Obrigada, Senhor, por este piano*, Deus teria sido glorificado em vez de ter sido feito o vilão. Eu não teria *sentido* uma grande felicidade; entretanto, me alegraria nos propósitos de Deus.

Além de ser grata, outra obrigação que temos é a de estar plenamente persuadidas da bondade de Deus:

> Celebrai com júbilo ao Senhor, todas as terras. Servi ao Senhor com alegria, apresentai-vos diante dele com cântico. Sabei que o Senhor é Deus; foi ele quem nos fez, e dele somos; somos o seu povo e rebanho do seu pastoreio. Entrai por suas portas com ações de graças e nos seus átrios, com hinos de louvor; rendei-lhe graças e bendizei-lhe o nome. Porque o Senhor é bom, a sua misericórdia dura para sempre, e, de geração em geração, a sua fidelidade (Salmos 100).

Suponha que o resultado da sua mamografia não é bom, ou que você fica sabendo da repentina morte de uma pessoa amada. Suponha que você descobre que seu filho ou sua filha será abandonado(a) pelo seu cônjuge. No mínimo, suas emoções oscilarão. Você provavelmente não conseguirá dormir. A dor arrastará você como uma onda na praia. Sendo esses tempos de provação, você deve lembrar-se da bondade de Deus. Ore e pense: "Senhor, *tu és bom* por ter permitido que eu vivesse até hoje com bons resultados nas mamografias", ou: "*Tu és bom* por haver permitido que tivesse meu amado pelo tempo que eu o tive", ou: "*Tu és bom* com nosso filho (com nossa filha) porque ele(a) não precisa passar por essa separação em vão".

Você também deveria lembrar que *Deus é bom* apesar das circunstâncias. Uma pessoa que O ama, tem convicção da bondade dEle tanto em dias cheios de pequenos testes desagradáveis, quanto em dias consumidos por imensas e dolorosas provações. Deus é bom, e bons pensamentos a respeito dEle deveriam sempre encher nosso coração.

Uma terceira obrigação que temos é a de perceber que Deus deve nos amar muito para testar nossa fé como Ele o faz. Sabemos que Deus dedicou um amor especial aos seus filhos. Seu amor dura para sempre, é eterno (Salmos 136). Ele também estabelece o padrão supremo e santo para o amor: "Nisto consiste o amor: não em que nós tenhamos amado a Deus, mas em que ele nos amou e enviou o seu Filho como propiciação pelos nossos pecados" (1 João 4.10). Conforme foi mencionado antes, Ele até nos disciplina em amor: "PORQUE O SENHOR CORRIGE A QUEM AMA" (Hebreus 12.6). Na verdade, Deus não determina teste algum para nós que não seja motivado pelo amor.

Vários anos atrás, eu soube de um trágico acidente automobilístico em que dois jovens, formados havia pouco tempo, no The Master's Seminary, foram atingidos e mortos por um motorista bêbado. Eles eram bons amigos e haviam planejado ir à França, ao campo missionário, junto com suas famílias. Ambos eram casados, e um deles tinha quatro crianças muito pequenas. Nossa igreja sofreu com a perda deles e orou pela família Stride e pela família Saunders. Não muito tempo depois, recebi um telefonema de uma amiga de uma das esposas. Essa amiga perguntou se eu poderia escrever para Lois Stride, e concordei. Conforme eu pensava e lutava com o que diria, expressei nossas condolências e disse-lhe que nossa igreja inteira estava orando por ela e por seus filhos. Concluí com algo assim:

> Não fingirei saber por que isso aconteceu, mas sei de uma coisa: Deus deve amar muito você para testar sua fé neste nível. Minha oração por você é no sentido de que sua fé prove ser genuína.

Muito tempo depois, soube, por meio de outros, que Deus usou o que escrevi para confortar Lois e para fortalecê-la durante sua dor. Lois foi confortada pelo fato de que Deus a amava e que tinha seus propósitos supremos por trás do doloroso teste de sua fé.[1]

Conclusão

É um grande e glorioso mistério como Deus age de forma soberana sobre sua criação. Desde a eternidade, Ele determinou como podemos glorificá-Lo melhor. Ele tem propósitos bem definidos e bons para nós e nos prova. Nossa obrigação é sermos gratas, é estarmos plenamente persuadidas de sua bondade e percebermos o quanto Ele nos ama. Então, poderemos enfrentar qualquer provação que venha sobre nós, sabendo que Deus está agindo em nossa vida e na vida de nossos amados, a fim de realizar seus divinos propósitos.

Questões para Estudo

1. Quais são duas crenças falsas a respeito de Deus?
2. Preencha os espaços: "No _____ está o nosso Deus e tudo faz como lhe _____" (Salmos 115.3).
3. O que aprendemos em Romanos 8.28-29 sobre o propósito de Deus em nossas provações?
4. Qual é o mais importante propósito de Deus, à medida em que Ele age sobre sua criação?

5. Faça a correspondência:

Os ramos são podados com o propósito de que produzam mais frutos.	Tiago 1.2-4
Deus nos disciplina a fim de sermos participantes da sua santidade.	1Pedro 1.7
As provações testam nossa fé para que louvemos e honremos mais a Deus.	João 15.2
A provação da nossa fé produz perseverança.	Hebreus 12.10

6. Como ser grata é semelhante a amar alguém?

7. Preencha os espaços de 1 Tessalonicenses 5.18: "Em _____, daí _____, porque esta é a _____ de Deus em Cristo Jesus para _____."
Agora repita esse verso em voz alta, várias vezes, até que consiga dizer de memória.

8. De acordo com o estudo deste capítulo, qual é nossa segunda obrigação diante de Deus?

9. Honrar a Deus e estar persuadida de sua bondade não acontecem automaticamente numa provação forte. Tal persuasão começa ao pensarmos corretamente nos pequenos testes todos os dias. Escreva três exemplos de provações e como reagir a elas, reconhecendo a bondade de Deus.

10. Qual é nossa terceira obrigação quando somos provadas?

11. Percebendo que você talvez tenha de enfrentar uma ou mais provações em sua vida, qual é a sua oração agora?

Conclusão

ESTE LIVRO COMEÇOU A SER ESCRITO num dia ensolarado em Peachtree City, Geórgia. Ele termina num dia frio e com ventos fortes, entre o natal e o ano novo. Conforme penso nas centenas de mulheres a quem tenho tido o privilégio de aconselhar usando as Escrituras, vejo os muitos problemas que enfrentamos. Com certeza este livro não tratou de todos os problemas que as mulheres têm, mas, pela graça de Deus, tratou de alguns deles.

Nos capítulos de 2 a 5, consideramos os problemas que as mulheres têm com os outros. Aprendemos que fofoca e difamação são pecados odiosos, feios, e todas sabemos que a língua é difícil de ser domada! Outro problema no relacionamento com os outros são as ligações emocionais idólatras que ocorrem quando há homossexualidade ou promiscuidade heterossexual. As emoções são desordenadas e difíceis de superar, mas pela graça de Deus é possível romper esses laços e ter um coração puro.

Outro problema muito comum com os outros é a manipulação. Devemos aprender a não reagir como tolas, mas a dar àqueles que agem como tolos a resposta que eles merecem, de modo que não venham a ser sábios a seus próprios olhos. O último problema que consideramos nessa seção foi o dos sentimentos feridos. Basicamente concluímos que, de fato, não deveríamos pensar em termos de nossos "sentimentos feridos". Em vez disso, deveríamos pensar em termos de amar a Deus e amar a pessoa que nos feriu.

A segunda seção de que tratamos foi "problemas com você mesma". O capítulo 6 revelou a vaidade como um pecado especialmente grotesco. O capítulo 7 explicou a desordem da TPM, e aprendemos que os hormônios não são desculpa para ficarmos frenéticas. Além disso, vimos várias dicas práticas para tornar mais suportável aquele período do mês. O último capítulo nessa seção tratou do problema do legalismo. O legalismo impede a presença do amor pelos irmãos e, então, origina desdém pelos outros. Todas temos de estar vigilantes para não cair na cilada dos fariseus.

A influência feminista e o papel da mulher na igreja têm criado uma violenta controvérsia na igreja. Os capítulos de 9 a 11 têm o propósito de acalmar essa tempestade e substituí-la por um coração alegre na mulher, ao servir ao Senhor, em qualquer maneira que Ele ordenar.

Quando eu era jovem, as mulheres tinham problemas. Agora elas têm "questões". Independentemente do nome que você usa, eles são muito aflitivos para as aquelas que os enfrentam. Há respostas claras e suficientes nas Escrituras para a mulher cristã. Espero que, a partir deste estudo, você tenha obtido um quadro claro e bíblico de qual é o seu problema e, pela graça de Deus, encontrado a solução.

Meu desejo é que Deus use este livro para abençoá-la ricamente para a glória dEle.

Apêndice
EXERCÍCIOS SOBRE A SALVAÇÃO[1]

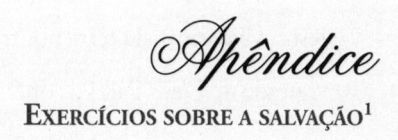

Quem é Jesus Cristo?

A Bíblia nos diz muito sobre Jesus e quem Ele é. O próprio Jesus fez muitas declarações, e outros também fizeram várias afirmações categóricas sobre Ele. Verifique as seguintes referências e anote quais são essas afirmações. Antes de começar a estudar, faça uma breve oração pedindo a Deus que mostre se essas afirmações são verdadeiras.

1. Do que Jesus chamou a si mesmo?
   a) João 4.25-26
   b) João 8.28; 9.35-38
   c) Mateus 27.42-13

"Filho de Deus" e "Filho do homem" são expressões do Antigo Testamento para o Messias prometido. Os profetas no Antigo Testamento sabiam que esse Messias era Deus e que era digno de adoração (veja Daniel 7.13-14).

2. O que Jesus afirmou sobre si mesmo?
   a) João 5.39
   b) João 6.51
   c) João 8.12
   d) João 8.58
   e) João 10.30; 14.7-9

3. A Trindade são três pessoas divinas (Deus Pai; Deus Filho e Deus Espírito Santo) que, em essência e natureza, são a mesma pessoa

e, contudo, têm personalidades distintas. Quando Deus Filho, Jesus, viveu aqui na terra por trinta e três anos, Ele submeteu-se à vontade de Deus Pai. Por quê? Veja Filipenses 2.5-8.

4. O apóstolo Paulo disse, em sua carta a Tito, que Deus é nosso Salvador (Tito 1.3).

   a) Quem, então, Paulo disse ser o nosso Salvador? (Tito 1.3-4)

   b) O que mais Paulo disse sobre Jesus? (Colossenses 1.15-16)

5. Quem Pedro disse que Jesus era?

   a) Marcos 8.27-29

   b) 2 Pedro 1.1

6. Quem João Batista disse que Jesus era? (João 1.29, 34)

7. Quem o apóstolo João disse que Jesus era?

   a) João 1.1, 14

   b) Apocalipse 19.16

8. Quem Deus Pai disse que Jesus era? (Mateus 3.17)

9. Quem tem a autoridade para perdoar pecados?

   a) Lucas 5.21

   b) Quem perdoou os pecados do paralítico? (Lucas 5.17-20)

   c) O que Jesus fez para provar que Ele tinha autoridade para perdoar pecados? (Lucas 5.21-24)

Sumário

Jesus afirmou ser Deus, dizendo que Ele:
- é o "Filho de Deus"
- é o "Filho do Homem"
- é o Salvador (o Messias)
- Tem autoridade para perdoar pecados.

Jesus provou que é Deus:
- pelas obras que fez (a criação, por exemplo)
- pelos milagres que fez
- pela sua ressurreição

O ensino da Bíblia de que Jesus é Deus não é algo que possamos explicar pela lógica humana. Essa é uma verdade sobrenatural na qual acreditamos porque o Espírito de Deus ilumina a verdade para nós.

O que Jesus fez na cruz

Quase todos na América ouviram falar em Jesus e sabem que Ele morreu na cruz. Contudo, eles podem ter concepções erradas acerca do propósito de sua morte.

1. Como Jesus foi morto? (Mateus 27.35)

2. O que dizia a placa acima de sua cabeça? (Marcos 15.26)

3. O que disseram as pessoas que estavam zombando de Jesus? (Lucas 23.35-37)

4. Como os soldados decidiram dividir as roupas de Jesus? (João 19.24)

5. Quais os quatro livros na Bíblia contêm a história da morte de Jesus na cruz?

6. Faça uma lista do que Jesus disse quando estava na cruz:
   a) Lucas 23.34

b) Lucas 23.42-43
c) Lucas 23.46
d) João 19.25-26
e) João 19.30
f) Marcos 15.37-38

7. Qual foi o propósito da morte de Jesus?
   a) 1 Pedro 2.24
   b) Hebreus 2.17 ("propiciação" significa satisfazer a ira de Deus)
   c) Efésios 1.7 ("no qual" refere-se a Jesus Cristo)
   d) Romanos 4.25 ("o qual" refere-se a Jesus)
   e) Romanos 5.9
   f) 1 Coríntios 15.3

Jesus disse aos seus discípulos que "as Escrituras" (o Antigo Testamento) faziam referência a Ele (João 5.39). De fato, há muitos lugares no Antigo Testamento que predizem a vinda do Messias e o que Ele faria pelas pessoas, a fim de que elas pudessem ser reconciliadas com Deus. (O pecado havia colocado uma barreira entre as pessoas e Deus, visto que Deus é santo.) A morte de Jesus na cruz foi a maneira de Deus punir o pecado, de modo que o senso de justiça de Deus foi satisfeito. Em outras palavras, Jesus foi punido em nosso lugar.

Uma das descrições mais detalhadas de como Jesus sofreu nossa punição está em Isaías 53. Isaías escreveu isso mais de setecentos anos antes de Jesus nascer. Deus deu essa informação a Isaías sobrenaturalmente; Isaías não chamou Jesus pelo nome, mas chamou-o de "Servo".

8. Como Jesus foi tratado pelos homens? (Isaías 53.3)

9. O que Ele suportou por nós? (Isaías 53.4)

10. O que aconteceu a Jesus por causa de nossas "transgressões" (nossos pecados) e nossas "iniquidades" (nossos pecados)? (Isaías 53.5)

11. Isaías 53.5 diz: "O castigo (a punição que merecemos) que nos traz a _____ estava sobre ele".

12. Isaías 53.6 diz: "Mas o SENHOR fez _____ a iniquidade [o pecado] de nós todos".

13. Que tipo de oferta sacrificial foi Jesus? (Isaías 53.10)

14. Jesus sofria em sua _____ (Isaías 53.11).

15. O que Jesus levou sobre Si? (Isaías 53.11)

16. Isaías 53.12 diz: "Ele... contudo, levou sobre si _____ _____".

17. Por qual motivo Deus mandou Jesus para morrer pelos nossos pecados? (1 João 4.10)

Sumário

Jesus morreu na cruz a fim de sofrer a punição pelos nossos pecados. Ele morreu em nosso lugar. Ele pagou toda a pena e, então, disse: "Está consumado!"

O que a Bíblia ensina sobre o pecado?

Na última seção, estudamos a morte de Jesus na cruz, e aprendemos que Ele morreu para sofrer a punição pelos nossos pecados. Além disso, aprendemos que Deus ficou satisfeito pelo pecado haver sido punido suficientemente, e que a ressurreição de Jesus é a prova. Nesta parte, estudaremos sobre o pecado: quem pecou primeiro, por que pecaram, e por que e como pecamos hoje. Alguns pecados são óbvios (assassinato, por exemplo). Alguns pecados são óbvios apenas para Deus. Independentemente do tipo de pecado que cometemos, todo pecado ofende a Deus porque Ele é perfeitamente puro e santo. Portanto, precisamos compreender o que o pecado é exatamente e como lidar com ele de maneira apropriada.

1. O primeiro ser criado que pecou foi um anjo chamado Lúcifer (mais tarde seu nome tornou-se Satanás). O problema dele era

orgulho. Ele queria ser adorado por alguns dos outros anjos tal como Deus era adorado. Lúcifer fez uma "disputa pelo poder" no céu, e Deus o lançou fora, junto com todos os seus seguidores. O que Lúcifer queria? Veja Isaías 14.13-14. Aliste as cinco afirmações de Lúcifer a respeito do que ele pretendia fazer:

a)
b)
c)
d)
e)

2. Lúcifer tinha um problema real com o orgulho. Ele deveria ter sido grato por adorar e servir a Deus. Em vez disso, ele queria toda a atenção para si mesmo. Qual era a razão subjacente para ele pensar que merecia esse tipo de atenção? (Ezequiel 28.17)

3. Lúcifer foi o primeiro anjo a pecar, e Adão e Eva foram os primeiros seres humanos a pecar. Quando Deus criou Adão e Eva, eles eram inocentes e sem pecado. Deus os colocou no jardim do Éden, o qual possuía um ambiente perfeito e, então, Deus testou a devoção que eles Lhe tinham. Deus disse-lhes que poderiam comer os frutos de qualquer árvore, exceto uma: "A árvore do conhecimento do bem e do mal". Deus avisou que se desobedecessem, morreriam.

   a) Satanás não contentou-se em se desviar sozinho. Decidiu tentar fazer com que Adão e Eva o seguissem, desobedecendo a Deus. Satanás apareceu a Eva na forma de uma serpente. Veja Gênesis 3.1.
      a.1. Como a serpente é descrita?
      a.2. O que ela pediu a Eva?
   b) Deus disse a Eva que se ela comesse daquela árvore, morreria. O que Satanás disse-lhe que aconteceria? (Gênesis 3.4)
   c) Satanás disse que se Eva comesse do fruto ela pareceria com quem? (Gênesis 3.5)
   d) O que Eva decidiu fazer? (Gênesis 3.6)

e) Antes de pecarem, Adão e Eva estavam muito confortáveis perto de Deus e não tinham medo dEle. Qual foi a resposta deles, depois do pecado? (Gênesis 3.10)

f) Deus confrontou Adão e Eva com o pecado deles. A quem Adão culpou? (Gênesis 3.12)

g) A quem Eva culpou? (Gênesis 3.13)

4. Deus é santo, por isso Ele tem de punir o pecado. Ele proferiu juízo logo ali sobre Satanás, Eva e Adão. Qual foi uma das partes da punição? (Gênesis 3.19)

5. Depois que Adão e Eva pecaram, conheceram o pecado de uma maneira pessoal, experimental. O pecado tornou-se parte da natureza dos dois e, então, foi passado a seus filhos e aos filhos de seus filhos, etc. Também foram transmitidas as consequências do pecado.

a) Por que "a morte passou a todos os homens"? (Romanos 5.12)

b) Qual é a consequência "justa" do pecado? (Romanos 6.23)

6. A Bíblia classifica o pecado mediante termos diferentes como transgressão, iniquidade, maldade, mal, desobediência e descrença. Observe os seguintes versos e aliste os pecados em particular:

a) Romanos 13.2

b) 1 Coríntios 6.18

c) Efésios 4.25–29 (Esses são pecados evidentes.)

d) Efésios 4.31 (Esses pecados podem ser evidentes ou podem ser atitudes mentais pecaminosas. Atitudes mentais pecaminosas são pecados cometidos quando temos certos pensamentos, os quais podem ou não resultar num pecado adicional, evidente.)

e) Efésios 5.18

f) Filipenses 4.6

g) Tiago 3.6

h) Tiago 4.17

i) Tiago 5.12

7. Todo pecado, evidente ou oculto, é visto e lembrado por Deus. O que Deus julga? (Hebreus 4.12)
8. Existe alguma coisa oculta para Deus? (Hebreus 4.13)
9. Deus é santo. Portanto, Ele deve punir o pecado. O homem peca. Consequentemente, o homem está separado de Deus e o resultado é a morte. Contudo, Deus ama o homem. Então, Ele providenciou uma maneira de os pecados dos homens serem punidos, e de o homem estar com Ele por toda a eternidade. A maneira que Deus providenciou foi a morte de Jesus na cruz levando a nossa punição. Como podemos saber que estamos, pessoalmente, num relacionamento correto com Deus? Como podemos ter certeza que o problema do *nosso* pecado já foi resolvido? Veja Atos 16.31.
10. Muitas vezes, as pessoas sabem sobre Jesus, mas ainda dependem parcialmente de si mesmas para serem boas o suficiente e conseguir ir para o céu. Se esse é o caso, então, elas não estão realmente "acreditando" (confiando) que a morte de Jesus na cruz é suficiente para salvá-las. A Bíblia diz que Jesus nos salva "não por obras de justiça praticadas por nós, mas segundo sua misericórdia" (Tito 3.5). Além de não confiar no Senhor Jesus como seu Salvador, muitas pessoas são como Satanás em sua atitude de não querer que Deus domine sobre elas. Elas querem controlar sua própria vida, e não confiam em Cristo como seu Senhor. Se isso é verdade quanto a você, "Deus... agora... notifica aos homens que todos, em toda parte, se arrependam; porquanto estabeleceu um dia em que há de julgar o mundo com justiça, por meio de um varão [Jesus Cristo] que destinou e acreditou diante de todos, ressuscitando-o dentre os mortos" (Atos 17.30-31). Romanos 10.9 nos diz: "Se, com a tua boca, confessares Jesus como Senhor e, em teu coração, creres que Deus o ressuscitou dentre os mortos, serás salvo".

A certeza da salvação

Muitas vezes, quando às pessoas é feita a pergunta: "Você tem certeza que, se você morresse agora, iria para o céu?", a resposta delas é algo do tipo: "Não tenho certeza, mas espero que sim". Visto que "ter certeza" é uma questão vital, antes de você começar a responder as perguntas abaixo, faça uma breve oração e peça a Deus que lhe mostre a verdade de sua Palavra.

1. Uma pessoa "salva" vai para o céu quando morrer.
   O que você tem de "fazer" para ser "salva"?
   a) Veja João 3.16
   b) Veja Romanos 10.13
   c) Veja João 1.12

2. Leia os seguintes versos e faça um quadro. No lado esquerdo, faça uma lista do que "salva" você e, no lado direito, faça uma lista do que "não salva" você:
   a) João 14.6
   b) Efésios 2.8–9
   c) Atos 16.30–31
   d) Efésios 2.4–5
   e) Colossenses 1.13–14
   f) Gálatas 1.3–4
   g) Tito 3.4–7

3. As pessoas pensam sobre sua salvação em uma destas duas formas: elas devem ser boas e fazer coisas para "ganhá-la", ou, Jesus fez todo o trabalho necessário, e elas devem colocar sua fé nEle, ou seja "confiar" (somente) nEle para ser seu Salvador.

a) Em nenhuma parte a Bíblia diz que uma pessoa é salva pelo que faz ou por quão boa é! Pelo contrário, a Bíblia diz que o único sacrifício ou castigo aceitável pelos pecados é o sacrifício de Cristo na cruz. Por que, então, tantas pessoas pensam que devem acreditar em Jesus, e acrescentar a isso a sua própria conquista para entrar no céu? Porque esta é a lógica da perspectiva humana. Porém, Deus diz: "Os meus pensamentos não são os vossos pensamentos, nem os vossos caminhos, os meus caminhos..." (Isaías 55.8). Não somos santos, então não pensamos como Deus pensa. Mas Ele é santo, e *todo* pecado deve ser punido. Não basta para nós havermos feito mais coisas boas do que ruins. É preciso que todas as coisas más sejam resolvidas, e foi isso que Jesus declarou quando disse: "Está consumado!"

b) Analise os seguintes versos e escreva o que Deus quer que você saiba a respeito da certeza de sua salvação.
   1. Romanos 3.28
   2. Romanos 8.1
   3. Romanos 10.11
   4. João 5.24
   5. João 6.47
   6. 1 Coríntios 3.15
   7. 2 Coríntios 1.9–10
   8. 1 João 5.11–13
   9. 1 Pedro 1.3–5
   10. Tito 1.2

4. Há basicamente três razões pelas quais as pessoas não têm certeza de sua salvação:
   a) Elas não sabem o que a Bíblia ensina, ou não acreditam.
   b) Elas nunca colocaram realmente sua confiança em Jesus como seu Senhor e Salvador. Jesus disse: "Mas vós não credes, porque não sois das minhas ovelhas. As minhas ovelhas ouvem a minha voz; eu as conheço, e elas me seguem. Eu lhes dou a vida eterna; *jamais* perecerão, e ninguém as arrebatará da minha mão (João 10.26-28).
   c) Não há evidências de salvação na vida delas, tais como um desejo de ter Deus perto, uma vontade de agradá-Lo, ou obediência aos mandamentos de Cristo. "Ora, sabemos que o temos conhecido por isto: se guardamos os seus mandamentos" (1 João 2.3).

Salvação é uma obra de Deus, não uma obra de homem. Então, se você está tendo dúvidas, peça a Deus que lhe conceda arrependimento de seu pecado e fé no Filho de Deus.

Notas

CAPÍTULO 3: O QUE VOCÊ QUER DIZER COM "EU POSSO VIVER SEM ELE"?

1. VINE, W. E. *Vine's expository dictionary of New Testament words* (McLean: VA: Macdonald Publishing, nd.), p. 707.

CAPÍTULO 4: DEVO RESPONDER *COMO*?

1. Um agradecimento especial a Lou Priolo pela permissão de adaptar seu material sobre "manipulação" para este capítulo. Para obter o CD de Lou Priolo, *How to manage manipulative people*, contate: Pastoral Publications, P.O. Box 101, Wetumpka, AL, 36092. Telefone: 866-437-0498.

CAPÍTULO 5: QUE DIFERENÇA FAZ A INTENÇÃO DELE?

1. *Webster's seventh new collegiate dictionary* (Springfield, MA: G. & C. Merriam, 1963), p. 406.

2. *New american standard exhaustive concordance of the Bible* (Nashville: Homan Bible Publishers, 1981), p. 7665.

3. Ibid., p. 3076.

4. Para mais informações sobre a disciplina na igreja, veja o livro de Jay Adams, *The handbook of church discipline* (Grand Rapids: Zondervan, 1986).

CAPÍTULO 6: HÁ NO MUNDO ALGUÉM MAIS BELA DO QUE EU?

1. *Webster's seventh new collegiate dictionary* (Springfield, MA: G. & C. Merriam, 1963), p. 981.

2. O material sobre as filhas de Sião foi adaptado do material de Howard Dial of Berachah Bible Church, em Fayetteville, Geórgia, com permissão.

CAPÍTULO 7: VOCÊ TEM CERTEZA QUE A TPM É REAL?

1. DAUGHERTY, J. E. "Treatment strategies for premenstrual syndrome", *American family physician* 58, no. 1 (Julho 1998): p. 183.

2. Se você está preocupada a respeito de tomar ou não remédios psicotrópicos, ou como parar de tomá-los sem perigo, sugiro a leitura do livro de Dr. Joseph Glenmullen, *The antidepressant solution* (Nova Iorque, Free Press, 2005).

Capítulo 8: Eu simplesmente amo regras, você não?

1. GEORGE, Timothy. *The new american commentary, Galatians*, (Nashville: Broadman and Holman, 1994), p. 96.
2. Este material foi adaptado, com permissão, do material de Howard Dial, pastor da Berachah Bible Church, Fayetteville, Geórgia.
3. MACARTHUR, John and Wayne Mack, *Introduction to biblical counseling* (Dallas: Word, 1994), p. 381–82.
4. Os itens 1-4 foram adaptados do livro de J. C. Ryle, *Warnings to the churches (Advertências às igrejas)* (Edimburgo: Banner of Truth Trust, 1967), p. 62-66. Este material foi originalmente editado em *Home Truths* e mais tarde em *Knots Untied (Nós Desamarrados)*, (originalmente editado em 1877).

Capítulo 9: Mas, e se eu *gostar* que alegrem meus ouvidos?

1. FRIEDAN, Betty. *The feminine mystique* (Nova Iorque: Dell, 1963), p. 79.
2. Ibid., p. 47.
3. ERIKSON, Erik. *Identity: youth and crisis* (Nova Iorque: W.W. Norton, 1968).
4. FRIEDAN, Betty. *The feminine mystique*, p. 14.
5. Ibid., p. 77.
6. BLAU, Justine. *Betty Friedan, feminist* (Nova Iorque: Chelsea House, 1990), p. 47.
7. FRIEDAN, Betty. *The feminine mystique*, p. 205.
8. FRENCH, Marilyn. *The war against women* (Nova Iorque: Ballantine, 1992), p. 181.
9. Ibid., p. 55–56.

Capítulo 10: Você quer que eu faça o *quê*?

1. PIPER, John and Wayne Grudem. *Homem e mulher* (Editora Fiel, São José dos Campos, SP., 1996), p. 33-51.
2. Para mais detalhes sobre recursos para proteger a esposa, quando seu esposo está pecando, veja Martha Peace, *A esposa excelente*, Editora Fiel, 2009)

Capítulo 11: Ser grata? Você não pode estar falando sério!

1. Esta história foi contada com a permissão de Lois Stride Green.

Apêndice: Exercícios sobre a salvação[1]

1. Estes exercícios foram reproduzidos com a permissão de Focus Publishing, Inc., Bemidji, MN, do livro "Manual da salvação", 2005.

Esboço Biográfico

MARTHA PEACE nasceu, cresceu e foi educada na região de Atlanta. Formou-se com mérito no Grady Memorial Hospital School of Nursing e na Georgia State University. Possui treze anos de experiência como enfermeira; é especialista em queimaduras pediátricas, em terapia intensiva e terapia coronária.

Converteu-se a Cristo em junho de 1979. Dois anos depois, Martha encerrou sua carreira em enfermagem e começou a concentrar-se em sua família e em uma classe de estudo bíblico com senhoras. Durante cinco anos, ministrou estudos dos livros da Bíblia, versículo por versículo, e recebeu treinamento e certificado da NANC – National Association of Nouthetic Counselors (Associação Nacional de Conselheiros Noutéticos). Esta associação foi iniciada pelo Dr. Jay E. Adams com o propósito de treinar e certificar homens e mulheres como conselheiros bíblicos. (Para mais informações, visite www.nanc.org)

Martha é professora e exortadora muito dotada. Trabalhou oito anos como conselheira bíblica no Atlanta Biblical Counseling Center, onde aconselhou mulheres. Por vários anos, ela tem apresentado cursos intensivos sob diversos temas relacionados a aconselhamento bíblico para mulheres, em conferências anuais da NANC. Lecionou por seis anos em uma classe de mulheres no Carver Bible Institute and College, em Atlanta. Atualmente, Martha é membro da faculdade adjunta na The Master's College, em Valência, Califórnia, ensinando aconselhamento bíblico. Ela é autora de quatro livros: *Esposa Excelente* (Editora Fiel), *Becoming a Titus 2 Woman* [Tornando-se uma mulher como a de Tito 2], *Attitudes of a Transformed Heart* [Atitudes de um coração transformado], e *Mulheres em Apuros* (Editora Fiel).

Martha e sua família são membros ativos na Faith Bible Church [Igreja Bíblica da Fé], em Peachtree City, Geórgia, onde é professora das senhoras na Escola Bíblica Dominical, canta no coral, aconselha mulheres e geralmente serve onde é necessário. Além disso, conduz seminários para grupos de senhoras, abordando temas como "Criando filhos diferentes de Caim", "A esposa excelente", "Tornando-se uma mulher como a de Tito 2", "Atitudes de um coração transformado", e "Mulheres em apuros".

Todos os anos ela participa como palestrante em algumas conferências para mulheres dentro e fora do país.

Martha tem 40 anos de casada com seu amado da época do colegial, Sanford Peace. Ele é controlador de tráfego aéreo na FAA – Federal Aviation Administration, mas seu verdadeiro trabalho é como presbítero na Faith Bible Church [Igreja Bíblica da Fé]. Eles têm dois filhos casados e dez netos.

Anotações

Anotações

Anotações

FIEL MINISTÉRIO

O Ministério Fiel tem como propósito servir a Deus através do serviço ao povo de Deus, a Igreja.

Em nosso site, na internet, disponibilizamos centenas de recursos gratuitos, como vídeos de pregações e conferências, artigos, e-books, livros em áudio, blog e muito mais.

Oferecemos ao nosso leitor materiais que, cremos, serão de grande proveito para sua edificação, instrução e crescimento espiritual.

Assine também nosso informativo e faça parte da comunidade Fiel. Através do informativo, você terá acesso a vários materiais gratuitos e promoções especiais exclusivos para quem faz parte de nossa comunidade.

Visite nosso website

www.ministeriofiel.com.br

e faça parte da comunidade Fiel

Esta obra foi composta em Adobe Garamond Pro Regular 11, e impressa
na Promove Artes Gráficas sobre o papel Pólen Natural 70g/m²,
para Editora Fiel, em Março de 2025.